NAPOLEON HILL

QUEM PENSA ENRIQUECE

O LEGADO

EDIÇÃO ATUALIZADA E COMENTADA
PELA FUNDAÇÃO NAPOLEON HILL

DIAMANTE DE BOLSO

Título original: *Think and Grow Rich - The 21st-Century Edition - Annotated with Update Examples*

Quem pensa enriquece - O legado - Versão de bolso
10ª edição: Maio 2025

O conteúdo desta obra é de total responsabilidade dos autores e não refl ete necessariamente a opinião da editora.

Autor:
Napoleon Hill

Tradução:
Mayã Guimarães

Preparação e edição:
Lúcia Brito

Revisão:
3GB Consulting

Projeto gráfico:
Dharana Rivas

Impressão:
Plena Print

DADOS INTERNACIONAIS DE CATALOGAÇÃO NA PUBLICAÇÃO (CIP)

H647q Hill, Napoleon.

Quem pensa enriquece - O legado / Napoleon Hill. – Porto Alegre: CDG, 2019.
ISBN: 978-65-5047-016-6
1. Desenvolvimento pessoal. 2. Motivação. 3. Sucesso pessoal. 4. Autoajuda. 5. Psicologia aplicada. I. Título.

CDD - 131.3

Produção editorial e distribuição:

CITADEL Grupo Editorial
contato@citadeleditora.com.br
www.citadeleditora.com.br

Diamante de Bolso

A coleção Diamante de Bolso apresenta os clássicos de Napoleon Hill em versão concisa. Os títulos do catálogo da Citadel Editora foram cuidadosamente lapidados para oferecer facetas cintilantes da obra original.

Este diamante é uma pequena gema para estimular a leitura do livro na íntegra. Uma joia para acompanhar o leitor no dia a dia, como lembrete ou fonte de inspiração.

Aproveite.

O DESLEIXO EM ALARGAR
A VISÃO MANTÉM MUITA GENTE
FAZENDO A MESMA COISA
A VIDA INTEIRA.

Napoleon Hill

SUMÁRIO

Prefácio 7

Capítulo 1 O segredo do sucesso 9

Capítulo 2 Pensamentos são coisas 13

Capítulo 3 Desejo 19

Capítulo 4 Fé em sua capacidade 27

Capítulo 5 Autossugestão 35

Capítulo 6 Conhecimento especializado 43

Capítulo 7 Imaginação 49

Capítulo 8 Planejamento organizado 59

Capítulo 9 Decisão 65

Capítulo 10 Persistência 69

Capítulo 11 O poder do MasterMind 75

Capítulo 12 Sexualidade 85

Capítulo 13 A mente subconsciente 91

Capítulo 14 O cérebro 105

Capítulo 15 O sexto sentido 113

Capítulo 16 Os seis fantasmas do medo 121

PREFÁCIO

Conheci a obra de Napoleon Hill em 1978, com 14 anos de idade. Fui engraxate, vendedor de picolé, servente de pedreiro, vendedor de lenha de casa em casa e empacotador no supermercado para ajudar no sustento da família de dez irmãos. O trabalho duro nunca me tirou a vontade de ler. Por sorte, havia um exemplar de *Pense e enriqueça* na pequena biblioteca pública a poucas quadras de onde eu morava.

Na capa daquela edição estava escrito: "Para homens e mulheres indignados com a pobreza". Decidi que não permaneceria por mais muito tempo na situação em que me encontrava. Com a mentoria de Napoleon Hill, estruturei meu caminho de realizações e prosperidade. Sou um dos milhares de leitores que testaram e comprovaram a eficácia da filosofia do sucesso de Napoleon Hill.

Quando um livro é bom? Quando conseguimos aplicar as ideias contidas nele e ver resultados em nossa vida. Este livro já provou que é bom. A questão agora é: o que ele pode fazer por você? Fique atento. Leia como se Napoleon Hill estivesse falando com você.

Para um melhor aproveitamento das leituras, eu e toda a equipe do Grupo MasterMind usamos o método LGD – ler, grifar e definir. Funciona assim:

- Leia atentamente, com olhos de pesquisador, porque este livro contém um segredo;
- Grife as ideias que pareçam as mais importantes para a sua vida neste momento;
- Defina um plano de ação para aplicar os ensinamentos.

Boa leitura e sucesso!

Jamil Albuquerque
Presidente do Grupo MasterMind
Treinamentos de Alta Performance

CAPÍTULO I

O SEGREDO DO SUCESSO

Em todos os capítulos deste livro, é mencionado o segredo que fez a fortuna de homens excepcionalmente ricos por mim analisados ao longo de décadas.

Quem primeiro chamou minha atenção para o segredo foi Andrew Carnegie. Ao perceber que eu havia apreendido a ideia, ele perguntou se eu estava disposto a levá-la ao mundo. Eu respondi que sim.

COMENTÁRIO

Em 1908, Napoleon Hill foi contratado pela *Bob Taylor's Magazine* para escrever as histórias do sucesso de homens famosos. O primeiro deles foi o criador da indústria do aço nos Estados Unidos, o magnata Andrew Carnegie, que disse que qualquer pessoa poderia alcançar a grandeza se entendesse a filosofia do sucesso. Carnegie acreditava que esse conhecimento poderia ser adquirido com aqueles que haviam alcançado grandeza e compilado um conjunto de princípios. Ele calculou que seriam necessários pelo menos vinte anos de trabalho para a produção da "primeira filosofia de realização individual do mundo". Ele propôs o desafio a Hill.

Este livro contém o segredo de Carnegie, um segredo testado por milhares [agora milhões] de pessoas de quase todas as condições de vida. Se você estiver pronto para colocá-lo em uso, vai reconhecer esse segredo ao menos uma vez em cada capítulo.

Uma coisa peculiar desse segredo é que aqueles que o adquirem e usam saltam para o sucesso literalmente. Porém, nada é de graça. O segredo tem um preço, embora este seja muito inferior a seu valor.

Enquanto eu fazia a pesquisa encomendada por Andrew Carnegie, analisei centenas de homens bem conhecidos. Muitos deles atribuíram o acúmulo de suas vastas fortunas ao segredo de Carnegie. Entre esses, George Eastman, Henry Ford, James J. Hill, John D. Rockefeller, Theodore Roosevelt e Thomas Edison.

Posso dar uma dica sobre como o segredo de Carnegie pode ser reconhecido: a realização e a riqueza começam com uma ideia. Se você está pronto para o segredo, já tem metade dele. Portanto, vai reconhecer a outra metade no momento em que ela aparecer.

COMENTÁRIO

A intenção de *Quem pensa enriquece* não é fazer o leitor pular de capítulo em capítulo, captando um conceito aqui e uma ideia ali para resolver o problema do momento. Este livro é para ser lido inteiro, do começo ao fim.

Quem pensa enriquece é uma filosofia de realização pessoal, e uma filosofia é mais que uma coleção de soluções para problemas. Uma filosofia é um sistema de princípios que guiam pensamentos e ações conforme um código de ética e valores. Este livro não vai apenas mudar o que você pensa, mas vai mudar literalmente o seu jeito de pensar.

Durante a preparação desta edição atualizada, cada aspecto foi analisado para garantir sua relevância para o atual clima empresarial. Nos casos em que o material pudesse ser considerado datado ou em desacordo com as práticas contemporâneas, o texto original foi atualizado ou ampliado com material novo e relevante.

De um ponto de vista mais técnico, os editores abordaram o texto escrito como teriam feito com o de um autor vivo. Quando encontraram o que os gramáticos modernos considerariam frases ultrapassadas, pontuação desatualizada ou outros problemas de forma, optaram pelo uso da regra contemporânea.

CAPÍTULO 2

PENSAMENTOS SÃO COISAS

Pensamentos são coisas. E coisas poderosas quando se misturam a definição de objetivo, persistência e desejo ardente de sua tradução em objetos materiais.

Uma das causas mais comuns de fracasso é o hábito de desistir diante de uma derrota temporária. Todo mundo comete esse erro em algum momento. Antes de o sucesso chegar à vida de alguém essa pessoa certamente encontrará muitas derrotas temporárias e talvez algum fracasso. Quando sobrevém a derrota, a coisa mais fácil e mais lógica a fazer é desistir. É exatamente o que faz a maioria das pessoas.

Mais de quinhentas das pessoas mais bem-sucedidas que este país já conheceu me disseram que seu maior sucesso aconteceu um passo além do ponto em que a derrota as havia atingido. O fracasso é um trapaceiro com um aguçado senso de ironia e astúcia. Ele se diverte muito fazendo a pessoa tropeçar quando o sucesso está ao alcance da mão.

COMENTÁRIO

Jack Welch, o imensamente bem-sucedido CEO da General Electric, fracassou de maneira dramática no começo da carreira, quando uma fábrica de plásticos pela qual ele era responsável explodiu. Sylvester Stallone, Bruce Willis, Oprah Winfrey, Bill Clinton, Steven Jobs, Donald Trump e muitos outros tiveram de fracassar para aprender as lições que fizeram deles sucessos. Cada um deles enfrentou um fracasso, mas nenhum foi derrotado.

Mas e se você não vê os eventos de sua vida como experiências de profunda importância? E quanto ao jovem que ainda não tem sequer pequenos fracassos para analisar? Onde e como ele vai aprender a arte de transformar derrotas em degraus para a oportunidade? Este livro foi escrito para responder essas perguntas.

Para transmitir minha resposta, construí treze princípios. Esses princípios funcionam individualmente ou juntos como catalisadores. A resposta que você está procurando pode já estar na sua cabeça. Ler esses princípios pode ser o catalisador que vai fazer sua resposta surgir repentinamente como uma ideia, um plano ou um objetivo.

Uma ideia sólida é tudo de que você precisa para alcançar o sucesso. Esses treze princípios contêm os melhores e mais práticos meios e caminhos para criar ideias.

Quando você começar a pensar e enriquecer, vai observar que a riqueza começa com um estado mental, com definição de objetivo, com pouco ou nenhum trabalho duro. O que você precisa saber agora é como obter esse estado mental que vai atrair riqueza.

Você vai descobrir que, assim que dominar os princípios dessa filosofia e começar a aplicá-los, sua situação financeira vai começar a melhorar. Tudo que você tocar vai começar a se transmutar em um bem para o seu benefício. Impossível? De jeito nenhum!

Uma das principais fraquezas da pessoa comum é ter muita familiaridade com a palavra "impossível". Sabemos todas as regras que não vão funcionar e todas as coisas que não podem ser feitas. Este livro foi escrito para aqueles que procuram as regras que tornaram outros bem-sucedidos e estão dispostos a apostar tudo nessas regras.

O sucesso chega para aqueles que se tornam conscientes do sucesso. O fracasso sobrevém àqueles que se permitem tornar conscientes do fracasso. O propósito deste livro é ajudá-lo a aprender a arte de mudar sua mentalidade de consciente do fracasso para consciente do sucesso.

Outra fraqueza é o hábito de mensurar tudo e todos pelas próprias impressões e crenças. Alguns leitores terão dificuldade para acreditar que é possível pensar e enriquecer porque seus hábitos de pensamento incluem pobreza, miséria, fracasso e derrota.

Tudo é uma questão de perspectiva e hábito. Se você desenvolveu o hábito de ver a vida apenas de sua perspectiva, pode cometer o engano de acreditar que suas limitações são, de fato, a medida correta das limitações.

Quando o famoso poeta inglês William Henley escreveu os versos proféticos "Sou o senhor do meu destino, sou o capitão da minha alma", deveria ter nos informado de que somos senhores do nosso destino, capitães de nossa alma por termos o poder de controlar nossos pensamentos.

Nosso cérebro é magnetizado pelos pensamentos dominantes. E é como se a mente magnetizada atraísse as forças, as pessoas e as circunstâncias de vida que estão em sincronia com nossos pensamentos dominantes.

Antes de podermos acumular riqueza, temos que magnetizar a mente com o intenso desejo por riqueza. Temos que nos tornar conscientes do dinheiro até o desejo por dinheiro nos levar a criar planos definidos para adquiri-lo.

Estamos prontos para examinar o primeiro princípio do sucesso. Peço que você mantenha a mente aberta.

Enquanto ler, lembre-se de que esses princípios não foram inventados por mim. Nem são invenção de ninguém. Esses princípios funcionaram para milhões de pessoas literalmente. Você também pode colocá-los para trabalhar para você e para seu próprio e duradouro benefício. Vai descobrir que não é difícil, é fácil.

COMENTÁRIO

Para o começo da leitura do próximo capítulo, os editores gostariam de reforçar a declaração anterior de que o que você está lendo não é uma mera coleção de teorias das quais pode escolher o que quiser.

Os treze princípios de sucesso foram comprovados por experiências de uma longa lista de pessoas famosas e bem-sucedidas. As técnicas também são praticadas e endossadas por especialistas e autores contemporâneos.

Leia. Não questione. Se achar que sabe mais que Napoleon Hill, se escolher as partes em que vai acreditar ou que vai seguir e não alcançar o sucesso, você jamais saberá se o fracasso reside neste livro ou em você.

CAPÍTULO 3

DESEJO

Todo ser humano com idade suficiente para entender o valor do dinheiro quer tê-lo. Mas querer não traz riqueza. Desejar riqueza com um estado mental que se torna uma obsessão, planejar meios definidos para alcançar a riqueza e respaldar esses planos com uma persistência que não reconhece o fracasso – é isso que vai trazer riqueza.

COMENTÁRIO

Em outros de seus escritos, Napoleon Hill utiliza o termo "definição de objetivo" como substituto para "desejo". Desejo ou definição de objetivo é mais que uma meta. Desejo é o mapa para alcançar um objetivo geral na carreira. Metas são passos específicos ao longo do caminho.

O método pelo qual o desejo de riqueza pode ser transmutado em seu equivalente financeiro consiste em seis passos definidos e práticos:

- REGISTRE mentalmente o valor exato que você deseja ter em dinheiro. Não é suficiente dizer apenas "quero bastante dinheiro". Defina o valor.
- DETERMINE exatamente o que você pretende dar em troca do dinheiro que deseja. (Não existe uma realidade do tipo "algo a troco de nada".)
- ESTABELEÇA uma data definida para quando pretende ter o dinheiro que deseja.
- CRIE um plano definido para realizar seu desejo e, esteja você pronto ou não, ponha o plano em prática.
- ESCREVA uma declaração clara e concisa do montante de dinheiro que pretende adquirir, estabeleça a data-limite para a aquisição, determine o que pretende dar em troca do dinheiro e descreva claramente o plano por intermédio do qual pretende acumular essa quantia.

- Leia essa declaração em voz alta um pouco antes de deitar e depois de se levantar. Enquanto lê, veja, sinta e acredite que o dinheiro já é seu.

É importante seguir as instruções desses seis passos. Você pode reclamar de que é impossível se ver dono do dinheiro antes de tê-lo. É aí que o desejo ardente vai ajudar. Se você deseja dinheiro com tanta intensidade que seu desejo se torna uma obsessão, não terá dificuldade para se convencer de que o terá. O objetivo é querer dinheiro e ficar tão determinado a tê-lo que você se convence de que o terá.

COMENTÁRIO

Pesquisas confirmam que há sólida base psicológica para fazer como Hill aconselha. A instrução para se ver como você será quando já tiver alcançado seu objetivo é ensinada por especialistas em motivação com o nome de "visualização criativa". Se Napoleon Hill acreditava que escrever e falar em voz alta seus objetivos é importante e se psicólogos e especialistas motivacionais concordam, seria tolice não seguir o conselho. Apenas faça.

Os passos não pedem trabalho duro. Não pedem sacrifício. Colocá-los em prática não requer muita educação formal. Mas os seis passos requerem imaginação suficiente para ver e entender que o acúmulo de dinheiro não pode ser deixado ao acaso. Você também deve saber desde já que nunca terá riqueza em grande quantidade a menos que consiga criar um desejo intenso por dinheiro e realmente acreditar que o terá.

Se você está na corrida por riqueza, deve ser incentivado pela seguinte verdade: o mundo em que vivemos exige novas ideias, jeitos novos de fazer as coisas, novos líderes, novas invenções e novos métodos, estilos, versões e variações de tudo o tempo todo. Por trás de toda essa demanda por coisas novas e melhores, há uma qualidade que você deve ter para vencer: definição do objetivo.

Se você deseja riqueza, lembre-se de que os verdadeiros líderes são as pessoas que convertem oportunidades em cidades, arranha-céus, fábricas, transporte, entretenimento e todas as formas de conveniência que deixam as coisas mais fáceis, mais rápidas, melhores ou simplesmente tornam a vida mais agradável.

Ao traçar os planos para adquirir sua cota de riqueza, não se deixe diminuir por ninguém por ser um sonhador. Para ganhar o grande prêmio nesse mundo em transformação, você precisa pegar o espírito dos grandes pioneiros, cujos sonhos deram à civilização tudo que ela tem de valor.

Um desejo ardente de ser e fazer é o ponto de partida de onde o sonhador deve começar. Sonhos não nascem da indiferença, da preguiça ou da falta de ambição.

Se o que você deseja fazer é certo e você acredita nisso, vá em frente e faça. Não se importe com o que "eles" dizem, caso sofra uma derrota temporária. "Eles" não sabem que cada fracasso traz consigo a semente de um sucesso equivalente.

Se você duvida disso, se está se sentindo destruído por um fracasso recente, vai descobrir em breve como esse fracasso pode ser seu bem mais valioso. Quase todo mundo que alcança o sucesso na vida começa mal e passa por muitas dificuldades dolorosas antes de chegar lá. O ponto de transformação na vida daqueles que alcançaram o sucesso normalmente acontece no momento de alguma crise, pela qual são apresentados ao seu "outro eu".

COMENTÁRIO

Napoleon Hill não se estende nos comentários sobre o "outro eu". A elaboração a seguir é extraída de seus textos posteriores:

> Você tem pensado apenas em suas perdas, em mais nada. Quanto mais se concentra nelas, mais atrai outras perdas. Pare de pensar nelas e decida se beneficiar de sua experiência. Sejam quais forem os obstáculos pessoais que enfrentar, comece conhecendo um lado de sua personalidade que não reconhece obstáculos, que não reconhece derrotas. Cultive uma amizade com o "outro" você, de forma que, o que quer que esteja fazendo, você permaneça aliado a alguém que compartilha dos seus objetivos. Toda a filosofia e conselho sobre convencer outras pessoas vai ser muito mais útil se você praticar consigo.

Henry Ford, pobre e sem escolaridade, sonhou com uma carruagem sem cavalos. Trabalhou com as ferramentas que tinha, sem esperar a oportunidade favorecê-lo, e agora a evidência de seu sonho circula por toda a Terra. Ele pôs mais rodas em movimento que qualquer homem que já viveu porque não teve medo de defender seus sonhos.

COMENTÁRIO

Steve Jobs e Steve Wozniak, dois desistentes da universidade, sonharam produzir e vender computadores que a pessoa comum pudesse usar. Como Ford, trabalhando com as ferramentas que tinham, construíram o primeiro computador Apple na garagem da família de Jobs. Como Ford na indústria automobilística, Jobs e Wozniak revolucionaram a indústria de *hardware* e *software*.

Os produtos ou serviços podem ser diferentes, mas a história de sucesso é a mesma: sonhos seguidos de fracassos, seguidos de lições aprendidas e por fim de êxito. Para cada Henry Ford existe hoje um Steve Jobs provando que os argumentos de Hill ainda são válidos.

Existe uma diferença entre querer uma coisa e estar pronto para recebê-la. Ninguém está pronto para alguma coisa até acreditar que pode tê-la. O estado mental deve ser de crença, não só de esperança ou vontade. A mente aberta é essencial para acreditar. Mentes fechadas não inspiram fé, coragem e crença.

Lembre-se: não é necessário mais esforço para querer muito da vida, buscar abundância e prosperidade do que para aceitar infelicidade e pobreza. Eu acredito no poder do desejo respaldado pela fé em si mesmo porque vi esse poder alçar gente de um começo muito baixo a lugares de poder e riqueza. Eu o vi privar sepulturas de suas vítimas, o vi servir de meio pelo qual as pessoas deram a volta por cima depois de uma centena de diferentes derrotas.

CAPÍTULO 4

FÉ EM SUA CAPACIDADE

A fé é a química-chefe da mente. Quando a fé se funde ao pensamento, a mente subconsciente capta instantaneamente a vibração. O subconsciente então a transmite para a Inteligência Infinita.

COMENTÁRIO

Fé aqui significa confiança, crença inabalável em que você é capaz de fazer alguma coisa. A fé tem de ser verdadeira em nível subconsciente. Se você tem uma dúvida persistente ou apenas finge que acredita, não vai funcionar, porque seu subconsciente vai conhecer suas dúvidas.

Inteligência Infinita refere-se àquela parte da mente e do processo de pensamento humano que produz intuições, *insights* e saltos de lógica. O conceito de Hill assemelha-se ao que o psicólogo Carl Jung chamou de "inconsciente coletivo" e, em outro nível, é muito próximo do que os psicólogos contemporâneos chamam de "estado de fluxo".

A visão de Hill de mente consciente e mente subconsciente aproxima-se da visão junguiana. O consciente recebe informação pelos cinco sentidos (visão, olfato, paladar, audição e tato); é a inteligência com que você normalmente pensa, raciocina e planeja. O subconsciente tem acesso à mesma informação que o consciente, mas não raciocina; toma tudo literalmente, não faz julgamentos de valor, não filtra e não esquece.

Você não pode ordenar à mente consciente que acesse a subconsciente. Porém, sob certas circunstâncias, todos os fatos e ideias esquecidos, mas firmemente enraizados no subconsciente, podem influenciar suas atitudes e ações conscientes.

Fé é um estado mental que pode ser induzido ou criado por afirmação ou instruções repetidas mediante autossugestão. Repetir afirmações é como dar ordens à mente subconsciente, e é o método de desenvolver fé, a crença absoluta de que você pode fazer alguma coisa.

As emoções são o que dá vida, vigor e ação aos pensamentos. As emoções de fé, amor e sexo são as mais poderosas. Todos os pensamentos carregados de emoção tendem a se traduzir em seu equivalente físico. Isso é válido para quaisquer emoções, inclusive as negativas. Ou seja, a mente subconsciente vai traduzir em seu equivalente físico um impulso de pensamento negativo ou destrutivo tão prontamente quanto impulsos positivos ou construtivos.

Isso explica o estranho fenômeno chamado de má sorte ou azar. Milhões de pessoas acreditam-se fadadas à pobreza e ao fracasso por causa de alguma força estranha sobre a qual não teriam controle. A verdade é que elas criam os próprios infortúnios, pois a crença no azar é captada pelo subconsciente e traduzida em seu equivalente físico.

Sua crença, ou fé, é o elemento que vai determinar a ação da mente subconsciente. Por causa da forma como o subconsciente opera, nada o impede de "enganar" o subconsciente dando instruções mediante autossugestão. Para tornar a trapaça mais realista, quando se dirige à mente subconsciente, você deve se comportar como agiria se já estivesse de posse do bem material que está querendo.

COMENTÁRIO

É um axioma da teoria contemporânea da motivação que a mente subconsciente não sabe distinguir o que é real e o que é vividamente imaginado. Assim, se você planta uma ideia de maneira convincente no subconsciente, ele aceita e trabalha com a ideia como se fosse um fato.

A palavra-chave é "convincente". Se você mandar uma mensagem, mas tiver alguma dúvida, o subconsciente também vai captá-la. Você vai mandar mensagens confusas que se cancelam mutuamente. Por isso Hill enfatiza a importância de fazer tudo com fé.

É essencial que você incentive as emoções positivas para serem as forças dominantes em sua mente. Mas fé em si mesmo não decorre simplesmente de ler instruções.

Ao longo dos tempos, líderes religiosos têm aconselhado as pessoas a ter fé nisso e naquilo, mas não ensinam como ter fé. Não dizem que fé é um estado mental que pode ser induzido por autossugestão.

Antes de prosseguirmos, guarde o seguinte:

- FÉ é o elixir que dá vida, poder e ação ao impulso do pensamento;
- FÉ é o ponto de partida de todo acúmulo de riqueza;
- FÉ é a base de todos os milagres e mistérios que não podem ser analisados pelas regras da ciência;
- FÉ é o antídoto para o fracasso.
- FÉ é o elemento que, quando misturado ao desejo, dá a você comunicação direta com a Inteligência Infinita;
- FÉ é o elemento que transforma o pensamento criado pela mente humana no equivalente espiritual;
- FÉ é o único recurso para dominar e usar a força da Inteligência Infinita.

Você acaba acreditando em tudo o que repete para si.

Se repetir uma mentira muitas vezes, com o tempo vai acreditar que seja verdade. Você é o que é por causa dos pensamentos dominantes que ocupam sua mente.

Pensamentos misturados a qualquer sentimento ou emoção se tornam uma força magnética que atrai pensamentos semelhantes ou relacionados. Qualquer ideia, plano ou propósito pode ser colocado na mente por meio de repetição. Você pode fazer isso redigindo um conjunto de pensamentos positivos em termos simples, memorizando e repetindo a declaração até que se torne parte do equipamento de trabalho de sua mente subconsciente.

A seguir, um exemplo para alguém cujo objetivo definido é superar a falta de autoconfiança.

Fórmula da autoconfiança

- Eu sei que tenho capacidade de alcançar meu objetivo definido de vida. Exijo de mim ação contínua e persistente para tal realização e prometo aqui e agora promover essa ação.

- Eu entendo que os pensamentos dominantes de minha mente com o tempo vão se tornar ação e se transformar em realidade física. Portanto, vou concentrar meus pensamentos por trinta minutos todos os dias na visualização da pessoa que pretendo me tornar, para criar uma imagem mental clara.
- Eu sei que qualquer desejo que mantiver de forma persistente em minha mente com o tempo vai encontrar meios práticos de se concretizar. Portanto, vou dedicar trinta minutos diários a exigir de mim o desenvolvimento da autoconfiança.
- Eu escrevi uma descrição clara de meu objetivo principal definido e não vou parar de tentar até ter desenvolvido autoconfiança suficiente para a realização.
- Eu percebo plenamente que nenhuma riqueza ou posição pode durar a menos que construída sobre verdade e justiça. Portanto, não vou me dedicar a nenhuma transação que não beneficie a todos por ela afetados. Terei sucesso atraindo as forças que desejo

usar e a cooperação de outras pessoas. Convencerei outros a me ajudar por causa da minha disponibilidade para ajudar os outros. Vou eliminar o ódio, a inveja, o ciúme, o egoísmo e o cinismo desenvolvendo amor por toda a humanidade, porque sei que uma atitude negativa com outras pessoas nunca poderá me trazer sucesso. Vou fazer os outros acreditarem em mim porque vou acreditar neles e em mim mesmo.

Eu vou assinar essa fórmula, gravá-la na memória e repeti-la em voz alta uma vez por dia, com plena fé de que com o tempo irá influenciar meus pensamentos e atos, de forma que eu me torne uma pessoa autossuficiente e bem-sucedida.

CAPÍTULO 5

AUTOSSUGESTÃO

Autossugestão é sugestionar a si mesmo. É o meio de comunicação entre a mente consciente e a subconsciente. Pela autossugestão você pode alimentar os pensamentos criativos (subconscientes) ou, por negligência, permitir a proliferação de pensamentos destrutivos.

COMENTÁRIO

Estudos com hipnoterapia sustentam a teoria de que o subconsciente não julga, não filtra ou interpreta, simplesmente processa a informação literalmente e a armazena. Fixação, fobia e comportamento compulsivo são causados por experiências dramáticas plantadas com firmeza no subconsciente. O resultado é uma resposta que atropela a mente consciente lógica do adulto. Quanto mais carregada de emoção a experiência armazenada, mais influência exerce sobre atitude e comportamento. É esse aspecto do subconsciente que permite usar a autossugestão como ferramenta para armazenar pensamentos positivos que vão ajudar na conquista do sucesso que você deseja.

No Capítulo 3, você foi instruído a ler em voz alta duas vezes por dia a declaração escrita de seu desejo por dinheiro. Lembre-se de que a mera leitura não tem efeito; palavras sem emoção não influenciam o subconsciente. Você não terá resultados apreciáveis até aprender a alcançar o subconsciente com pensamentos ou palavras carregados de emoção com crença. Não desanime se não conseguir controlar e direcionar suas emoções na primeira tentativa.

Lembre-se de que não existe a possibilidade de obter algo a troco de nada. O preço aqui é a persistência. Sua capacidade de usar o princípio da autossugestão vai depender em grande parte da sua capacidade de se concentrar em determinado desejo até esse desejo se tornar uma obsessão ardente.

Ao fixar a mente na quantidade exata de dinheiro que deseja, feche os olhos e mantenha os pensamentos no montante até poder ver a aparência física do dinheiro. Veja-se de fato de posse do dinheiro.

Um fato muito importante: a mente subconsciente aceita todas as ordens dadas a ela em uma disposição de fé absoluta e age de acordo com essas ordens. Mas em geral as ordens precisam ser apresentadas muitas e muitas vezes antes de serem interpretadas. Por causa disso, você pode considerar a possibilidade de usar um truque perfeitamente legítimo. Faça a mente subconsciente acreditar (porque você acredita) que precisa ter o montante de dinheiro visualizado. Faça-a acreditar que o dinheiro já está esperando por você, de forma que ela tenha de lhe entregar planos práticos para adquirir o dinheiro que é seu.

Não espere um plano definido pelo qual você possa trocar serviços ou mercadoria pelo dinheiro que está visualizando. Comece agora a se ver de posse do dinheiro, exigindo e esperando que sua mente subconsciente entregue os planos de que você precisa. Fique alerta, pois os planos provavelmente vão lampejar em sua mente na forma de inspiração ou intuição. Entre em ação assim que os receber. Enquanto isso, ao ler a declaração do desejo por dinheiro, feche os olhos e crie em sua mente uma imagem vívida de você seguindo os planos. Ao visualizar o dinheiro que pretende acumular, veja-se fornecendo o serviço ou a mercadoria que pretende dar em troca.

COMENTÁRIO

A autossugestão está intimamente relacionada à auto-hipnose, e as duas técnicas desempenharam papel importante no desenvolvimento da psicoterapia moderna. A hipnose fez parte das terapias utilizadas pelos grandes nomes no desenvolvimento da psiquiatria, incluindo Sigmund Freud, Carl Jung e William James. O psiquiatra francês Emile Coué foi um dos primeiros e o mais conhecido defensor da autossugestão. Contemporâneo de Freud, Coué criou uma frase geral, inespecífica, que fornecia uma instrução positiva ao subconsciente, sem informar como segui-la: "Todo dia, em todos os sentidos, estou cada vez melhor". Ele orientava os pacientes a repetir a frase várias vezes por dia. A técnica de autossugestão mais ensinada por especialistas motivacionais contemporâneos é chamada de visualização criativa e é usada por treinadores de atletas olímpicos e times esportivos profissionais e pela NASA no treinamento de astronautas.

Visualização é muito mais do que sonhar acordado com alguma coisa que se gostaria de ter. A técnica envolve o uso da imaginação, criatividade, imagens vívidas e afirmações. Napoleon Hill escreveu sobre a prática da visualização em 1928, em seu primeiro *best-seller*, *Law of Success* (lançado no Brasil pela Citadel como *O manuscrito original – As leis do triunfo e do sucesso de Napoleon Hill*). Desde então, muitos outros psicólogos, profissionais da área médica, oradores motivacionais e autores desenvolveram sistemas baseados nos mesmos princípios.

As instruções dadas anteriormente para a realização do desejo por dinheiro são agora detalhadas e exemplificadas como segue:

- Vá para algum lugar tranquilo onde não seja perturbado ou interrompido. Feche os olhos e repita em voz alta (de forma que possa ouvir as próprias palavras) a declaração escrita do montante de dinheiro que pretende acumular. Seja específico sobre o tempo-limite para acumular o valor e faça uma descrição do serviço ou da mercadoria que pretende dar em troca do dinheiro. Enquanto segue essas instruções, veja-se já de posse do dinheiro.
- Suponha que pretenda acumular US$ 50 mil até 1º de janeiro daqui a cinco anos e que pretenda prestar serviços em troca do dinheiro. A declaração escrita do seu objetivo deve ser parecida com esta:

    No dia 1º de janeiro de ____, terei em meu poder US$ 50 mil, que chegarão a mim em várias quantias de tempos em tempos nesse ínterim. Em troca desse dinheiro, prestarei o serviço mais eficiente de que sou capaz. Entregarei a maior quantidade possível e a melhor qualidade possível de serviço como _____________________ (descreva o serviço). Acredito que terei esse dinheiro em meu poder. Minha fé é tão forte que posso ver esse dinheiro diante dos meus olhos. Posso tocá-lo com minhas mãos. Esse dinheiro agora espera ser transferido para mim no tempo e na proporção em que presto o serviço que darei em troca. Estou esperando um plano para ter esse dinheiro e vou seguir esse plano quando ele for recebido.

- Repita esse programa à noite e de manhã até poder ver na imaginação o dinheiro que pretende acumular.
- Coloque uma cópia escrita da declaração onde possa vê-la à noite e de manhã e leia antes de deitar e ao levantar, até memorizá-la.

COMENTÁRIO

A seguir outra sugestão, adaptada de *O manuscrito original – As leis do triunfo e do sucesso de Napoleon Hill*:

Cerque-se de livros, fotos, lemas e outros artefatos sugestivos. Escolha coisas que simbolizam e reforçam a realização e a autossuficiência. Adicione elementos constantemente à sua coleção e mova as coisas para lugares novos, onde possa vê-las sob uma luz diferente e em associação com coisas diferentes.

Quando seguir essas instruções, lembre-se de que está aplicando a autossugestão para dar ordens à mente subconsciente. Lembre-se também de que seu subconsciente vai agir com base nas instruções que forem carregadas de emoção. A fé é a mais forte e a mais produtiva das emoções.

Essas instruções de início podem parecer abstratas. Não se deixe incomodar por isso. Faça. Ceticismo em relação a novas ideias é uma característica de todos os seres humanos. Se você seguir as instruções, seu ceticismo logo será substituído por crença. E a crença se cristalizará em fé absoluta.

CAPÍTULO 6

CONHECIMENTO ESPECIALIZADO

Há dois tipos de conhecimento: geral e especializado. Conhecimento geral, por maior que seja, tem pouca utilidade para o acúmulo de dinheiro. Conhecimento só atrai dinheiro quando organizado e dirigido por planos práticos para o objetivo específico de acumular dinheiro.

Muita gente acredita que conhecimento é poder. Nada disso. Conhecimento só se torna poder quando organizado em planos de ação definidos para um fim definido.

Uma pessoa educada não tem necessariamente muito conhecimento geral ou especializado. Uma pessoa educada é alguém que desenvolveu suas faculdades mentais de tal forma que pode adquirir o que quiser sem violar os direitos dos outros. Qualquer pessoa é educada quando sabe onde buscar o conhecimento de que precisa e como organizar esse conhecimento em planos de ação definidos.

Antes de poder transmutar seu desejo em dinheiro, você vai precisar de conhecimento especializado sobre o serviço, a mercadoria ou a profissão que pretende oferecer em troca. Em primeiro lugar, decida o tipo de conhecimento especializado de que precisa. Seu objetivo de vida principal vai ajudar a determinar o conhecimento necessário. As fontes mais importantes de conhecimento são:

- Sua experiência e educação;
- A experiência e educação disponíveis pela cooperação de outras pessoas;
- Faculdades e universidades;
- Bibliotecas públicas [e, ainda mais fácil, a internet];
- Cursos especiais (como escolas noturnas e cursos a distância).

Pessoas bem-sucedidas nunca deixam de adquirir conhecimento especializado relacionado a seus objetivos. As que não são bem-sucedidas normalmente cometem o engano de acreditar que o período de aquisição de conhecimento acaba quando se conclui a escola. A verdade é que as escolas fazem pouco mais do que ensinar como adquirir conhecimento prático.

COMENTÁRIO

Embora poucos neguem o valor da educação, desempenho acadêmico nunca foi um indicador seguro de sucesso. Em seu *best-seller Inteligência emocional*, Daniel Goleman apresentou o argumento de que a forma como as pessoas lidam consigo e com seus relacionamentos, o que ele chamou de inteligência emocional, ou IE, é um indicador muito melhor que o QI para prever se uma pessoa será bem-sucedida. Nos livros *Trabalhando com a inteligência emocional* e *O poder da inteligência emocional*, Goleman aplicou sua teoria ao local de trabalho, focando em técnicas de liderança de IE e comparando a IE de administradores corporativos a seus QI para analisar qual deles tem o maior efeito positivo no resultado financeiro.

As teorias de Daniel Goleman causaram mudanças significativas dentro de círculos educacionais e entre teóricos de gestão, mas o maior impacto foi em indivíduos intimidados por acreditar que não eram suficientemente inteligentes. Goleman oferece evidência convincente de que, embora alguns não tenham educação convencional, suas habilidades naturais e interpessoais podem ser muito mais importantes para a conquista do sucesso.

Existe um ponto fraco nas pessoas para o qual não existe remédio. É a fraqueza universal da falta de ambição. A ideia de começar de baixo e trabalhar para progredir pode parecer sólida, mas a maior objeção a isso é que muitos daqueles que começam por baixo nunca conseguem levantar a cabeça o suficiente para serem vistos por aqueles que contam. E o que se vê de baixo não é muito radiante ou encorajador. Costuma matar a ambição. Você cai na monotonia e aceita seu destino porque cria o hábito da rotina. Esse hábito por fim pode se tornar tão forte que você nem tente superá-lo. E essa é outra razão pela qual vale a pena começar um ou dois degraus acima do fundo. Assim, você vai criar o hábito de olhar em volta, observar como os outros seguem em frente, ver a oportunidade e agarrá-la sem hesitação.

Um dos pontos principais que estou tentando enfatizar por meio de toda essa filosofia é que progredimos para posições elevadas ou ficamos lá embaixo por causa de condições que podemos controlar. Mas só se quisermos controlá-las. Também estou tentando enfatizar outro ponto – que sucesso e fracasso são em grande parte resultados do hábito.

COMENTÁRIO

Mary Kay Ash havia se demitido do emprego de gerente de vendas no ramo de presentes porque tinha desanimado ao ver os homens que ela treinava ganhando mais e sendo promovidos antes dela. Decidiu escrever um livro de orientação para mulheres profissionais, mas, quando reuniu o conhecimento especializado sobre o assunto, percebeu que estava escrevendo um plano de negócios para o tipo de empresa que ela gostaria de administrar. Pegou todas as suas economias, US$ 5 mil, procurou e encontrou um creme para a pele de que gostou, comprou os direitos do produto e começou a contatar as amigas e as amigas das amigas para ver se gostariam de ser consultoras de beleza de sua nova companhia. Mary Kay criou um modelo de negócios que dava às mulheres a chance de adquirir satisfação pessoal e sucesso financeiro.

No começo do século 21, a Mary Kay Cosmetics contava com mais de um milhão de consultoras de beleza independentes em trinta países, totalizando vendas brutas acima de US$ 1,5 bilhão. A empresa entrou três vezes na lista das cem melhores companhias para trabalhar nos Estados Unidos. Mary Kay se tornou uma requisitada oradora motivacional e escreveu três *best-sellers*.

CAPÍTULO 7

IMAGINAÇÃO

A capacidade imaginativa funciona de duas maneiras. Uma é conhecida como "imaginação sintética" e a outra como "imaginação criativa".

COMENTÁRIO

No uso moderno, "sintético" sugere algo artificial. Hoje "sintetizado", no sentido de "algo feito de partes componentes", descreve melhor o que Hill tinha em mente e por isso o termo será usado aqui.

Imaginação sintetizada: não cria nada; funciona com o material proveniente da experiência, educação e observação com que é alimentada. É a capacidade usada pela maioria dos inventores.

IMAGINAÇÃO CRIATIVA: é a faculdade da comunicação direta entre a mente humana e a Inteligência Infinita, a faculdade pela qual são recebidos palpites e inspirações. É por intermédio dessa faculdade que todas as novas ideias são entregues à humanidade. A imaginação criativa funciona de forma automática, mas só quando a mente consciente está motivada e energizada. Os grandes líderes do comércio, da indústria e das finanças e os grandes artistas, músicos, poetas e escritores se tornaram grandes porque desenvolveram a imaginação criativa.

COMENTÁRIO

Os dois tipos de imaginação são valiosos e operam juntos de modo tão sincronizado que pode ser difícil dizer onde acaba um e começa o outro. Quando Jeff Bezos criou a Amazon.com, foi imaginação sintetizada ou imaginação criativa? Na época, muita gente começava a pegar a ideia da internet como meio de vendas. Então seria possível concluir que ele recorreu à experiência, educação e observação, o que significa que estava usando imaginação sintetizada. Mas por que decidiu vender livros? Isso foi imaginação sintetizada ou criativa? E o nome? Chamar uma livraria de Amazon não fazia sentido para ninguém além de Bezos, mas com certeza chamou a atenção do público. Essa escolha foi imaginação sintetizada ou criativa? Não importa. Quer você reúna conscientemente as partes de um plano, quer as partes se encaixem de forma subconsciente e você tenha um *flash* de inspiração, o que importa é que você está colocando sua imaginação para trabalhar. E, quanto mais usar, melhor as imaginações sintetizada e criativa vão trabalhar para você.

Imaginação sintetizada e criativa se tornam mais alertas e receptivas com o uso. Embora sua imaginação possa ter enfraquecido pela falta de uso, você pode reavivá-la. Assim como qualquer músculo ou órgão do corpo, a imaginação se torna mais ativa em resposta direta à quantidade de uso.

A transformação do impulso intangível do desejo de dinheiro na realidade tangível do dinheiro pede o uso de um plano ou planos. Para fazer planos, você deve usar sua imaginação. De maneira geral, isso vai requerer o uso da imaginação sintetizada, na medida em que você recorre à sua experiência, educação e observações.

Leia todo o livro, depois volte a este capítulo e ponha a imaginação a trabalhar na elaboração de um plano para transformar seu desejo em dinheiro. Siga as instruções mais adequadas às suas necessidades e escreva seu plano. No momento em que completar essa etapa, você terá dado forma concreta a seu desejo intangível. E terá realmente dado o primeiro de uma série de passos que permitirão converter o pensamento em sua contraparte física.

COMENTÁRIO

Algumas empresas de sucesso começam com a imaginação sintetizada, quando um empreendedor pega uma ideia existente e dá a ela uma nova aplicação. Vendo a filha pequena brincar com bonequinhas de papel de recortar e vestir, Ruth Handler teve a ideia de fazer uma boneca com corpo de mulher e roupas para trocar. Em homenagem à fonte de inspiração, deu à boneca o nome da filha:

Barbie. Até Ruth Handler, ninguém tivera a ideia de fazer e vender uma boneca como a Barbie. E ninguém jamais havia feito intermináveis coleções de roupas femininas para uma boneca vestir.

Jeff Bezos criou a Amazon combinando a ideia de livraria com a internet; Pierre Omidyar fez o mesmo com leilões quando criou o eBay. Anita Roddick juntou a tendência dos ingredientes naturais com cosméticos e criou o império The Body Shop. Uma vez feitas, as conexões podem parecer óbvias; são essas supostas obviedades que trazem enorme sucesso para muita gente.

O planeta onde vivemos, você e todas as outras coisas materiais são resultado de mudança evolutiva. Até onde a ciência foi capaz de determinar, o universo consiste em apenas quatro coisas: tempo, espaço, matéria e energia. Todas as partículas de matéria surgiram como uma forma intangível de energia.

Desejo é pensamento. Pensamento é energia. Quando você dá início ao processo de adquirir dinheiro a partir do desejo, está recrutando para seu serviço a mesma coisa que a natureza usou para criar toda forma material no universo, incluindo seu corpo e seu cérebro pensante.

COMENTÁRIO

Embora recentes avanços da física (teorias de calibre, teoria das cordas, teoria das membranas e outras) tenham ampliado nossa compreensão sobre matéria e energia, a descrição de Hill permanece de acordo com a ciência moderna e com a teoria de Einstein de que energia e matéria são formas diferentes da mesma coisa.

Você (matéria), seus pensamentos (energia), todas as outras pessoas (matéria) e seus pensamentos (energia) e todas as outras coisas (matéria) não só estão interconectados como, em essência, são a mesma coisa. Hill chama essa inter-relação de Inteligência Infinita. No capítulo sobre fé, ele fez a primeira menção à Inteligência Infinita como a origem de palpites, intuição e *flashes* de inspiração. No capítulo sobre autossugestão, indicou a mente subconsciente como conexão com a Inteligência Infinita. Neste capítulo, Hill indica a imaginação criativa como receptora dos *flashes* de *insight* que chegam a nós da Inteligência Infinita.

Em algumas circunstâncias, quando a mente opera em ritmo acelerado, a inteligência criativa recebe não só uma ideia, mas também um *flash* de intuição. Você tem um palpite ou uma premonição sobre alguma coisa ou alguém. Esse *flash* não pode brotar de sua mente consciente ou mente subconsciente porque nenhuma das duas jamais teve a informação. Como tudo é parte de alguma outra coisa, sua imaginação criativa (energia) extraiu o pensamento (energia) diretamente do lago comum da Inteligência Infinita (energia), que contém o seu subconsciente (energia) e o subconsciente de todo mundo (energia).

Ideias podem ser transmutadas em dinheiro por meio de objetivo definido e planos definidos. Se você acredita que trabalho duro e honestidade por si só trarão riqueza, pode esquecer. Não é verdade. A riqueza vem, se vier, em resposta a demandas definidas baseadas na aplicação de princípios definidos, não por acaso ou sorte.

De modo geral, uma ideia é um pensamento que leva à ação porque atrai a imaginação. Todos os grandes vendedores sabem que ideias podem ser vendidas onde uma mercadoria não pode. Os vendedores comuns não sabem disso. Por isso são "comuns".

Um editor de livros descobriu que muita gente compra os títulos, não o conteúdo dos livros. Ao simplesmente mudar o nome de um livro que não estava saindo, as vendas deram um salto de mais de um milhão de cópias. O interior do livro não teve nenhuma alteração. Ele simplesmente trocou a capa por outra com um título que tinha apelo de público. Por mais simples que possa parecer, foi uma ideia. Foi imaginação.

COMENTÁRIO

Aos leitores que pensam que substituir a capa de um livro é muito simples ou que não poderiam fazê-lo por não serem do ramo, garantimos que, se você tivesse tido essa ideia antes, o editor citado por Hill provavelmente teria ficado satisfeito em vender o encalhe a você por centavos de dólar. Você então poderia trocar a capa e se tornar editor de um *best-seller.* No entanto, a ideia de substituir as capas não significaria nada se você também não tivesse ideias sobre como comercializar e promover a nova capa atraente. É isso que Hill argumenta.

Certa vez a Sony Corporation tentou fabricar um gravador muito pequeno que funcionasse com fitas cassete de tamanho padrão, mas não conseguiu. O aparelho podia reproduzir as fitas, mas não gravar. O projeto foi considerado um fracasso. Tempos depois, o presidente honorário da Sony, Masaru Ibuka, entrou no laboratório e viu alguns dos engenheiros usando os protótipos do gravador fracassado para ouvir música. Eles não pareciam se importar com o fato de o aparelho não gravar; gostavam de poder andar por aí ouvindo suas músicas favoritas.

Aí surgiu a ideia imaginativa que fez toda a diferença. Ibuka lembrou que outra divisão da Sony estava trabalhando em fones de ouvido leves. E teve um *flash.* A imaginação de Ibuka fez a conexão que os outros engenheiros não tinham feito. Na opinião de Ibuka, eles não haviam projetado um gravador que deu errado, mas criado um reprodutor estéreo particular bem-sucedido. Adicionaram os fones de ouvido, chamaram de Walkman e revolucionaram o negócio da música e a indústria eletrônica.

Não há preço padrão para ideias. O criador da ideia define seu preço e, se for esperto, o alcança.

As ideias são assim: primeiro, você dá vida, ação e orientação a elas; depois ideias adquirem força própria e superam toda oposição. Ideias são forças intangíveis com mais poder do que os cérebros de onde nascem. Ideias têm o poder de continuar vivas depois de o cérebro que as criou já ter voltado ao pó.

CAPÍTULO 8

PLANEJAMENTO ORGANIZADO

Você aprendeu que tudo que criamos ou adquirimos começa em forma de desejo. Na primeira volta de sua jornada, o desejo é levado de abstrato a concreto na oficina da imaginação, onde os planos para sua transição são criados e organizados.

No Capítulo 3, Desejo, você foi instruído a seguir seis etapas práticas e definidas para começar a traduzir o desejo por dinheiro em seu equivalente monetário. Uma das etapas que você deve cumprir é a formação de um plano ou planos definidos, práticos, por intermédio dos quais essa transformação possa ser feita.

Se o primeiro plano não for bem-sucedido, substitua--o. Se o novo plano não funcionar, substitua-o por outro, e assim até encontrar um plano que funcione.

Quando seus planos falharem, lembre-se de que a derrota temporária não é um fracasso permanente. Você não estará vencido enquanto não desistir. Se desistir antes de alcançar o objetivo, você é um desistente. Um desistente nunca vence – e um vencedor nunca desiste.

Aqueles que estão começando a ganhar dinheiro não têm mais do que serviços pessoais para oferecer em troca de riqueza (assim como aqueles que perderam sua fortuna). Nesses casos é essencial ter informações reais e práticas necessárias à comercialização vantajosa de seus serviços. Se você vai vender seus serviços, siga as seguintes instruções:

- Decida exatamente o tipo de emprego que deseja. Se o emprego ainda não existe, talvez você possa criá-lo.
- Escolha para quem deseja trabalhar.
- Estude a empresa com relação a políticas, recursos humanos e oportunidades de progresso.

- **Analise** a si mesmo, seus talentos e suas capacidades e descubra o que pode oferecer. Planeje meios específicos de oferecer vantagens, serviços, desenvolvimentos ou ideias que acredita poder entregar com sucesso.
- **Esqueça** o "emprego". Esqueça a existência ou não de uma vaga. Concentre-se no que você pode oferecer.
- **Coloque** seu plano no papel de forma clara e com todos os detalhes.
- **Apresente** seu plano à pessoa adequada.

Para comercializar seus serviços de maneira efetiva (o que significa um mercado permanente a preço satisfatório e em condições agradáveis), você deve adotar e seguir a fórmula QQE – qualidade, quantidade e espírito de cooperação:

- **Qualidade**: desempenhar cada detalhe relacionado à atividade da maneira mais eficiente possível.
- **Quantidade**: prestar todo serviço de que é capaz.
- **Espírito**: conduta agradável e harmoniosa, que induza a cooperação de associados e colegas de trabalho.

A autoanálise é essencial e deve ser feita no fim de cada ano para que você possa incluir nas resoluções de ano-novo quaisquer melhorias necessárias. Faça o inventário a seguir e verifique as respostas com a ajuda de alguém que não permita que você minta para si mesmo.

- Alcancei o objetivo que estabeleci para este ano?
- Entreguei o melhor serviço de que era capaz ou poderia ter melhorado alguma parte dele?
- Entreguei a maior quantidade de serviço possível?
- Meu espírito de conduta foi harmonioso e cooperativo em todos os momentos?
- Permiti que a procrastinação diminuísse minha eficiência? Em caso afirmativo, em que medida?
- Melhorei minha personalidade? Em caso afirmativo, de que maneira?
- Persisti em meus planos até a conclusão?
- Tomei decisões rápidas e definitivas quando necessário?
- Permiti que algum dos seis medos básicos diminuísse minha eficiência? (Ver Capítulo 16.)

- Fui mais ou menos cauteloso do que deveria ter sido?
- Meu relacionamento com os colegas de trabalho foi agradável ou desagradável? Se foi desagradável, a culpa foi parcial ou totalmente minha?
- Dissipei energia por falta de concentração do esforço?
- Mantive uma mente aberta e tolerante em todos os assuntos?
- De que maneiras aperfeiçoei minha capacidade de prestar serviço?
- Fui intemperado em algum hábito pessoal?
- Expressei, aberta ou secretamente, alguma forma de egocentrismo?
- Minha conduta com meus associados conquistou o respeito deles?
- Minhas opiniões e decisões foram baseadas em adivinhação ou análise e pensamento preciso?
- Segui o hábito de orçar meu tempo, minhas despesas e minha renda e fui conservador nesses orçamentos?
- Quanto tempo eu poderia ter aproveitado melhor?

- Como posso orçar meu tempo e mudar meus hábitos de forma a ser mais eficiente no próximo ano?
- Mantive alguma conduta que não foi aprovada por minha consciência?
- De que maneiras entreguei mais e melhor serviço do que aquele pelo qual fui pago?
- Fui injusto com alguém? Em caso afirmativo, como?
- Se eu tivesse comprado meus serviços, estaria satisfeito com a compra?
- Estou na vocação certa? Caso não esteja, por quê?
- O comprador dos meus serviços ficou satisfeito com o serviço que prestei? Se não, por quê?
- Qual minha classificação atual em relação aos princípios fundamentais do sucesso?

CAPÍTULO 9

DECISÃO

A procrastinação é um inimigo que praticamente todas as pessoas precisam dominar. Aqueles que não conseguem acumular dinheiro têm o hábito de tomar decisões muito lentamente – quando tomam – e de mudar essas decisões de forma rápida e frequente.

Em sua maioria, as pessoas que fracassam em acumular o dinheiro são facilmente influenciadas pelas opiniões dos outros. Permitem que fofocas, rumores e notícias de jornais formem seu pensamento. Opiniões são os bens mais baratos da Terra. Todo mundo tem uma coleção delas para dar a quem quiser ouvi-las. Se você é influenciado pela opinião dos outros, não terá desejos próprios.

Não exponha seus planos. Confie em si para tomar decisões quando começar a colocar os princípios deste livro em prática e siga essas decisões. Não faça confidências a ninguém, exceto aos membros do seu grupo de MasterMind. Amigos e parentes próximos, mesmo sem querer, muitas vezes nos prejudicam com opiniões e às vezes com ridicularização, pensando que são engraçados. Milhares de homens e mulheres carregam complexos de inferioridade durante toda a vida por causa disso.

Você tem um cérebro e uma mente. Use-os e tome as próprias decisões. Se precisar de fatos ou informações de outros para ajudá-lo a tomar decisões, adquira o que necessita sem divulgar a finalidade.

É característico das pessoas que têm conhecimentos limitados tentar dar a impressão de que sabem mais do que realmente sabem. Essas pessoas geralmente falam demais e escutam de menos. Mantenha os olhos e ouvidos abertos – e a boca fechada – se quiser adquirir o hábito de tomar decisões prontamente.

Quem fala demais faz pouco mais que isso. Se você fala mais do que ouve, pode deixar passar algum conhecimento importante. Ao falar demais, você também pode divulgar planos e objetivos para pessoas que teriam prazer em derrotá-lo. Portanto, uma de suas primeiras decisões deve ser manter a boca fechada e abrir os olhos e os ouvidos.

Diga ao mundo o que você pretende fazer, mas primeiro mostre. Ações, não palavras, são o mais importante.

O valor das decisões depende da coragem necessária para tomá-las. Grandes decisões que serviram de base à civilização implicaram grandes riscos, muitas vezes o risco de morte. A decisão de Abraham Lincoln de libertar os escravos foi tomada com plena compreensão de que a atitude faria milhares de amigos e apoiadores políticos se voltarem contra ele. Quando os governantes de Atenas deram a Sócrates a opção de desmentir seus ensinamentos ou ser condenado à morte, a decisão do filósofo de beber o veneno foi uma escolha de coragem em defesa da liberdade de pensamento e discurso.

Quem toma decisões pronta e definitivamente sabe o que quer e em geral consegue. Os líderes em todas as esferas decidem com rapidez e firmeza, e essa é uma razão pela qual são líderes. O mundo costuma abrir espaço para pessoas cujas palavras e ações demonstram que elas sabem para onde estão indo.

A indecisão é um hábito que geralmente começa na juventude e acompanha a pessoa na ocupação que ela escolhe. Muita gente pega o primeiro emprego que aparece por não ter a decisão de planejar uma carreira nem o conhecimento de como escolher um empregador.

Decisões definitivas sempre exigem coragem. Às vezes, muita coragem. A pessoa que toma a decisão definitiva de buscar um emprego específico e fazer a vida pagar o preço que ela pede não aposta a vida nessa decisão, ela aposta sua liberdade econômica. Independência financeira, riqueza e posições profissionais desejáveis não estão ao alcance de quem negligencia ou se recusa a esperar, planejar e exigir essas coisas.

CAPÍTULO 10

PERSISTÊNCIA

A maioria das pessoas está pronta para jogar fora objetivos e propósitos e desistir ao primeiro sinal de oposição ou infortúnio. Algumas continuam, apesar de toda oposição, até atingir o objetivo. Pode não haver uma conotação heroica na palavra "persistência", mas ela faz por seu caráter o que o carbono faz pelo ferro – o endurece e transforma em aço.

Aqueles que cultivaram o hábito da persistência parecem protegidos contra o fracasso. Não importa quantas vezes sejam derrotados, no fim alcançam o objetivo. E mais ainda – o conhecimento de que todo fracasso traz nele a semente de uma vantagem equivalente.

As pessoas que aprendem pela experiência a importância da persistência não aceitam a derrota como algo mais que temporário. Vemos que essas pessoas transformam o castigo da derrota em impulso para se esforçar mais. Mas o que não vemos, o que a maioria nem suspeita que exista, é o poder silencioso, mas irresistível, que socorre os que lutam contra o desânimo. Se chegamos a falar desse poder, nós o chamamos de persistência e paramos por aí.

COMENTÁRIO

A história de Napoleon Hill é de um começo muito humilde e de fracassos devastadores que teriam derrotado a maioria das pessoas. A edição original do livro que você tem em mãos foi publicada apenas pela extraordinária perseverança de Hill. Em seu primeiro *best-seller, O manuscrito original – As leis do triunfo e do sucesso de Napoleon Hill,* ele narra os sete momentos decisivos de sua vida.

A persistência é um estado mental, portanto, pode ser cultivada. Como todos os estados mentais, a persistência é baseada em causas definidas, entre elas:

- Definição de objetivo: saber o que você quer é o primeiro e mais importante passo em direção ao desenvolvimento da persistência. Um motivo forte o forçará a superar dificuldades.
- Desejo: é relativamente fácil cultivar e manter a persistência na busca do objeto de um desejo intenso.
- Autoconfiança: acreditar na sua capacidade de realizar um plano o estimula a seguir com persistência.
- Definição de planos: planos organizados, mesmo que fracos ou impraticáveis, incentivam a persistência.
- Conhecimento preciso: saber que seus planos são sólidos, com base em experiência ou observação, incentiva a persistência; "adivinhar" em vez de "saber" destrói a persistência.
- Cooperação: simpatia, compreensão e apoio de outras pessoas tendem a desenvolver a persistência.
- Força de vontade: o hábito de concentrar seus pensamentos em fazer planos para atingir o objetivo definido leva à persistência.

- HÁBITO: a mente absorve e se torna parte das experiências diárias das quais se alimenta. A persistência é resultado direto do hábito.

Faça um autoinventário e veja quantos dos oito fatores anteriores de persistência você não tem.

Veja agora uma lista dos inimigos reais que existem entre você e a realização. Não são apenas sintomas de falta de persistência, mas também as causas subconscientes profundamente enraizadas dessa fraqueza. Faça uma análise honesta de si mesmo a respeito destas características:

- Falha em reconhecer e definir claramente o que quer;
- Procrastinação, com ou sem causa (em geral respaldada por uma longa lista de álibis e desculpas);
- Falta de interesse em obter conhecimento especializado;
- Indecisão e hábito de se eximir de responsabilidade em vez de enfrentar os problemas;
- Hábito de se apoiar em desculpas em vez de fazer planos definidos para resolver os problemas;

- Autocomplacência;
- Indiferença, em geral refletida na prontidão para ceder em vez de enfrentar a oposição;
- Hábito de culpar os outros pelos erros e aceitar circunstâncias como inevitáveis;
- Fraqueza do desejo por não escolher motivos que levem à ação;
- Disposição para desistir ao primeiro sinal de derrota;
- Falta de planos organizados por escrito;
- Hábito de não colocar ideias em prática ou de não agarrar oportunidades quando se apresentam;
- Ficar desejando em vez de ir à luta;
- Hábito de se contentar com a pobreza em vez de buscar a riqueza; falta de ambição de ser, fazer ou ter;
- Procurar atalhos para a riqueza, em geral refletido no hábito de apostar ou de realizar transações desonestas;
- Medo do que os outros vão pensar, fazer ou dizer.

Muita gente acredita que sucesso é o resultado de golpes de sorte. Pode haver alguma verdade nisso, mas, se você contar com a sorte, quase certamente ficará desapontado. O único golpe em que qualquer um pode se dar ao luxo de confiar é em um golpe criado por si mesmo, mediante a aplicação da persistência. Existem quatro passos simples que levam ao hábito da persistência. São eles:

- Um objetivo definido, apoiado por um desejo ardente de realização;
- Um plano definido expresso em ação contínua;
- Uma mente fechada a todas as influências negativas e desencorajadoras, incluindo sugestões negativas de parentes, amigos e conhecidos;
- Uma aliança amigável com uma ou mais pessoas que o incentivarão a sustentar o plano e o objetivo.

CAPÍTULO II

O PODER DO MASTERMIND

Poder é conhecimento organizado e inteligentemente dirigido. Aqui poder refere-se ao esforço organizado para que um indivíduo transmute o desejo por dinheiro em seu equivalente monetário. Se poder é conhecimento organizado, vamos examinar as fontes do conhecimento:

- INTELIGÊNCIA INFINITA: pode ser acessada com a ajuda da imaginação criativa, pela mente subconsciente.
- EXPERIÊNCIA ACUMULADA: pode ser encontrada nas bibliotecas. Uma parte importante é ensinada em escolas e faculdades.

- Experimento e pesquisa: no campo da ciência, e em praticamente todas as outras áreas da vida, as pessoas reúnem, classificam e organizam novos fatos diariamente. É a fonte a que você deve recorrer quando o conhecimento não estiver disponível pela experiência acumulada. Aqui também a imaginação criativa deve ser usada frequentemente.

COMENTÁRIO

A revolução do computador e a internet tiveram efeito profundo na quantidade de informações disponíveis e na facilidade de acesso e capacidade de organização dessa informação. A publicação e a disseminação de informações ocorre tão rapidamente que quase não existe lacuna de tempo entre o experimento ou pesquisa e a integração desses resultados em conhecimento disponível.

Ao examinar as três fontes de conhecimento, você pode ver o quanto seria difícil se tivesse que depender apenas dos próprios esforços para reunir todo o conhecimento de que precisa e transformá-lo em planos de ação definidos.

MasterMind pode ser definido como coordenação de conhecimento e esforço, em um espírito de harmonia, entre duas ou mais pessoas para a realização de um objetivo definido.

COMENTÁRIO

No trecho a seguir, Hill descreve os dois tipos de poder que um indivíduo pode alcançar ao montar uma aliança de MasterMind – poder econômico e poder psíquico.

O termo "psíquico" aqui não tem nada a ver com sessões espíritas, adivinhação, magia ou qualquer outro aspecto paranormal. Hill utiliza o termo para descrever algo que pertence à mente que todo mundo que está lendo este livro conhece. É o sentimento que você experimenta quando trabalha com outras pessoas, todos estão muito focados no mesmo objetivo, e a coisa vai tão bem que vocês parecem estar em sintonia uns com os outros.

Quando isso acontece, não só você trabalha melhor com os outros, mas também parece que seu próprio trabalho e ideias são melhores e operam em um plano mais elevado que de costume.

O poder potencial disponível em um grupo de MasterMind é de duas naturezas:

- **Poder econômico:** os conselhos, orientação e cooperação de um grupo de pessoas em espírito de perfeita harmonia é a base de quase todas as grandes fortunas.
- **Poder psíquico:** quando as mentes de duas ou mais pessoas se coordenam em espírito de harmonia, a energia de cada mente parece captar a energia da outra. A união de duas mentes gera uma força invisível, intangível, que pode ser comparada a uma terceira mente.

O cérebro humano pode ser comparado a uma bateria elétrica. Um grupo de baterias fornece mais energia do que uma só bateria; da mesma maneira um grupo de cérebros coordenados (ou conectados) em espírito de harmonia proporciona mais energia-pensamento do que um único cérebro. A quantidade de energia fornecida por uma bateria depende do número e da capacidade das células que ela contém; da mesma maneira alguns cérebros são mais eficientes que outros.

Quando um grupo de mentes é coordenado e funciona em harmonia no MasterMind, o aumento de energia gerado pela aliança fica disponível para cada mente do grupo.

COMENTÁRIO

O primeiro passo para formar sua aliança de MasterMind é conhecer claramente seu desejo. Seu desejo vai dizer de que você precisa.

Pode ser um grupo pequeno, de apenas duas ou três pessoas, como Steve Jobs e Steve Wozniak quando criaram a Apple, Bill Gates e Paul Allen ao lançar a Microsoft ou Steven Spielberg, Jeffrey Katzenberg e David Geffen ao fundar a DreamWorks SKG. Napoleon Hill sugere que, na maioria dos casos, o grupo deve ter uma dúzia de pessoas ou menos.

Os membros da aliança de MasterMind vão permitir que você use toda a força da experiência, treinamento e conhecimento deles como se fosse sua. E farão tudo isso em um espírito de perfeita harmonia.

A questão que vem à mente dos leitores é: "Onde encontro pessoas que me ajudem nesse grau?". Napoleon Hill não pode responder a essa pergunta, mas diz o que procurar. Onde procurar é com você. E, se você tem realmente o desejo de alcançar o sucesso, vai começar a procurar e não vai desistir até encontrar as pessoas certas.

Alie-se a tantas pessoas quantas sejam necessárias para a criação e execução de seu plano ou planos para a acumulação de dinheiro. Escolha pessoas que compartilhem de valores, objetivos e interesses comuns, mas que tenham individualmente um forte desejo de contribuir com o esforço geral. Tentativa e erro fazem parte do processo de seleção dos membros da aliança de MasterMind, mas há duas qualidades vitais a manter em mente.

A primeira é a capacidade de fazer o trabalho. Não selecione pessoas para sua aliança só porque gosta delas. Tais pessoas são valiosas porque melhoram sua qualidade de vida, mas não são necessariamente adequadas para uma aliança de MasterMind.

A segunda qualidade é a capacidade de trabalhar em espírito de harmonia com outras pessoas. Deve haver uma reunião completa de mentes, sem quaisquer reservas. A ambição pessoal deve ser subordinada à realização do propósito da aliança. Isso inclui você.

Você deve insistir na confidencialidade. Algumas pessoas podem revelar uma ideia simplesmente porque adoram conversar. Você não precisa delas em sua aliança.

Entre em sintonia com todos os membros do grupo. Tente imaginar como você reagiria em determinada situação se estivesse no lugar deles.

Preste atenção à linguagem corporal. Às vezes, expressões faciais e movimentos dizem muito mais sobre o que uma pessoa sente do que as palavras que ela profere.

Seja sensível ao que não é dito. Às vezes, o que é deixado de fora é muito mais importante do que o que é incluído.

Não tente enquadrar o grupo muito rápido. Dê espaço àqueles que querem testar ideias.

Antes de formar sua aliança de MasterMind, decida que vantagens e benefícios você pode oferecer aos membros em troca de cooperação. Ninguém trabalha indefinidamente sem alguma compensação. Nenhuma pessoa inteligente deve solicitar ou esperar que outra trabalhe sem uma compensação adequada.

Riqueza certamente será o maior atrativo para seus membros. Seja justo e generoso em sua oferta. Reconhecimento e autoexpressão podem ser tão importantes quanto o dinheiro para alguns integrantes.

Na aliança de MasterMind, o princípio do esforço extra (fazer mais e melhor do que aquilo pelo que é pago) é especialmente importante. Como líder, você deve dar o exemplo que os outros vão seguir.

Desde o início todos os integrantes devem concordar com a contribuição que cada um vai dar e com a divisão de benefícios e lucros. Caso contrário, tenha certeza de que a discórdia surgirá, você desperdiçará o tempo de todos, arruinará amizades, e seu empreendimento será destruído.

Organize reuniões do seu grupo de MasterMind pelo menos duas vezes por semana, e mais frequentemente se possível, até que tenha aperfeiçoado o plano ou planos necessários para o acúmulo de dinheiro. Estabeleça responsabilidades específicas e atitudes a serem tomadas.

À medida que o MasterMind amadurece, as reuniões criam um fluxo de ideias na mente de cada membro.

Não permita que as reuniões se tornem regulares e formais a ponto de inibir telefonemas e outros contatos menos formais.

Mantenha perfeita harmonia entre você e todos os membros do seu grupo de MasterMind. Se não cumprir essa instrução ao pé da letra, pode contar com o fracasso.

Crie um ambiente que não seja ameaçador. Explore todas as ideias com igual interesse e preocupação com os sentimentos de quem as sugeriu.

Todos devem lidar uns com os outros sobre uma base completamente ética. Nenhum membro deve buscar vantagem injusta em detrimento dos outros.

Como líder, você deve inspirar confiança. Os integrantes do MasterMind devem ter certeza de que você é responsável, confiável e leal.

Uma aliança de MasterMind com a pessoa que você mais ama é de grande importância. Construa sua aliança de MasterMind no casamento desde o início, e ela será sólida e o apoiará nos momentos mais difíceis.

Se você é casado e não construiu seu relacionamento sobre os princípios de harmonia cruciais para qualquer aliança, pode ter que vender sua ideia para o parceiro. Dedique um tempo todos os dias para falar sobre o que deseja alcançar e como está se saindo nisso. Você não deve de forma alguma arrastar seu cônjuge involuntariamente para nenhum empreendimento.

De fato, toda a família deve ser incorporada em sua aliança de MasterMind. Uma família unida é uma ótima equipe.

CAPÍTULO 12

SEXUALIDADE

COMENTÁRIO

O que motiva os seres humanos é tema de pesquisa científica e debate filosófico contínuos. Existe consenso de que os principais motivadores são as necessidades básicas de alimento e água, abrigo, vestuário e segurança. Além desses, no entanto, existem outros fatores motivacionais; são esses fatores e sua ordem de importância que continuam abertos a interpretação.

A teoria mais conhecida é a hierarquia de necessidades do psicólogo Abraham Maslow, que enumera cinco forças motivacionais: necessidades fisiológicas, de segurança, sociais, de *status* ou estima e de autorrealização. Outros psicólogos e sociólogos organizaram as categorias de forma diferente, mas quase todos concordam que, depois da satisfação das necessidades de manutenção da vida, sexo e amor são as forças mais importantes.

Napoleon Hill também compilou uma hierarquia a que se referiu como estímulos mentais. Como Maslow e outros pesquisadores, Hill identificou o sexo e o amor como os mais poderosos fatores motivacionais dentre os que não são de manutenção da vida. E, se sexo e amor são forças tão poderosas para induzir o ser humano à ação, poderiam ser canalizados para a realização ou sucesso?

As pessoas são mais influenciadas por sentimentos do que pela razão. Sua criatividade é acionada inteiramente pelas emoções, e não pela razão fria. Os estímulos aos quais a mente mais responde são:

- Desejo de expressão sexual;
- Amor;
- Desejo de fama, poder ou ganho financeiro; dinheiro;
- Música;
- Amizade próxima e/ou admiração;
- Uma aliança de MasterMind;

- Sofrimento em comum, como o que acomete pessoas que são perseguidas;
- Autossugestão;
- Medo;
- Álcool e drogas.

O desejo de expressão sexual está no topo da lista de estímulos que aceleram a mente e levam à ação. Motivadas por esse desejo, as pessoas muitas vezes mostram coragem, força de vontade, persistência, imaginação e capacidade criativa que normalmente não têm. Às vezes também colocam em risco a vida e a reputação por causa dele.

O desejo de expressão sexual é inato e natural. Não pode e não deve ser reprimido ou eliminado, mas pode ter outras saídas. Quando dominada e redirecionada, a motivação sexual é transmutada em uma poderosa força criativa na literatura, arte e em outras atividades, inclusive no acúmulo de riqueza. Transmutar a energia sexual significa desviar a mente de pensamentos de expressão física para pensamentos de outra natureza.

Por meio de cultivo e compreensão, essa força motivadora vital pode ser utilizada com vantagem nas relações, sendo comunicada aos outros das seguintes maneiras:

- Aperto de mão: o toque da mão indica instantaneamente a presença de carisma ou a falta dele.
- Tom de voz: a energia sexual pode colorir ou projetar a voz de forma musical e encantadora.
- Postura e movimentos do corpo: pessoas com carisma se movem com agilidade e graça.
- Vibrações do pensamento: a personalidade carismática influencia aqueles à sua volta.
- Vestuário e estilo: pessoas carismáticas geralmente são muito cuidadosas com a aparência pessoal.

Amor, romance e sexo são emoções capazes de elevar as pessoas à altura da super-realização. Combinadas, as três emoções podem levar o indivíduo à altitude de um gênio.

Toda pessoa que foi mobilizada pelo amor genuíno sabe que ele deixa traços duradouros no coração humano.

Ignore o pensamento de que o amor só vem uma vez. O amor pode vir e ir incontáveis vezes, mas não existem duas experiências de amor que o afetem da mesma maneira. Pode haver uma experiência de amor que deixe no coração uma impressão mais profunda do que todas as outras, mas todas são benéficas, exceto para a pessoa que se torna ressentida e cínica quando o amor vai embora.

Até as memórias de amor podem elevar o indivíduo e estimular a mente. Volte a outros tempos de vez em quando e banhe a mente nas belas lembranças do amor passado. Isso vai amenizar suas preocupações e oferecer uma via de escape para as desagradáveis realidades da vida. E talvez, durante esse retiro temporário no mundo da fantasia, o subconsciente dê ideias ou planos que possam mudar todo o *status* financeiro ou espiritual de sua vida.

Não deve haver desapontamento no amor, e não haveria se as pessoas compreendessem a diferença entre as emoções do amor e do sexo. Casamentos ou relacionamentos sérios que não são abençoados pelo devido equilíbrio de amor e sexo não podem ser felizes – e raramente sobrevivem. O amor sozinho não traz felicidade, nem o sexo sozinho. O amor é espiritual. O sexo é biológico. Nenhuma experiência que toque o coração humano com uma força espiritual pode ser prejudicial, exceto por ignorância ou ciúme.

O amor é a emoção que serve como uma válvula de segurança e traz equilíbrio, razão e esforço construtivo. O amor é sem dúvida a maior experiência da vida. Pode levar à comunhão com a Inteligência Infinita. Quando o amor orienta as emoções, pode ser um bom guia rumo ao esforço criativo.

O caminho para a genialidade consiste no desenvolvimento, controle e uso do sexo, do amor e do romance. Quando a emoção do romance é adicionada às do amor e do sexo, as obstruções entre a mente finita e a Inteligência Infinita são removidas. Então nasce um gênio!

CAPÍTULO 13

A MENTE SUBCONSCIENTE

A mente subconsciente consiste de um campo de consciência onde todo impulso de pensamento que chega à mente consciente por qualquer um dos cinco sentidos é classificado e registrado. O subconsciente recebe e arquiva impressões sensoriais ou pensamentos independentemente de sua natureza.

Você pode plantar em sua mente subconsciente qualquer plano, pensamento ou objetivo que queira traduzir em seu equivalente físico ou monetário. Os desejos misturados com emoção e fé são os mais fortes; portanto, são os primeiros a que o subconsciente responde.

A mente subconsciente funciona dia e noite e, de alguma forma que não é totalmente compreendida, parece capaz de recorrer às forças da Inteligência Infinita para transmutar desejos em seu equivalente físico. E o faz da maneira mais direta e prática.

Você não pode controlar completamente sua mente subconsciente, mas pode entregar a ela qualquer plano, desejo ou objetivo que deseje transformar em algo concreto. Consulte novamente as instruções para usar a mente subconsciente no Capítulo 5, Autossugestão.

COMENTÁRIO

No capítulo sobre autossugestão, os métodos principais para plantar e reforçar sugestões em seu subconsciente são (1) formulação e redação de seus desejos, (2) repetição de afirmações positivas, (3) visualização criativa do seu objetivo e (4) ação como se o objetivo já fosse seu.

A partir de minha pesquisa, concluí que a mente subconsciente é o elo entre a mente finita do homem e a Inteligência Infinita. Apenas a mente subconsciente realiza o processo pelo qual os impulsos mentais (pensamentos) são modificados e transformados em equivalentes espirituais (energia). Só ela transmite a oração (desejo) à fonte capaz de responder à oração (Inteligência Infinita).

As possibilidades do que você pode fazer quando conecta esforço criativo com a mente subconsciente são estupendas. Elas me inspiram e fascinam. Eu nunca abordo a discussão da mente subconsciente sem um sentimento de pequenez e inferioridade devido ao fato de o conhecimento do homem sobre esse assunto ser tão limitado.

Você deve aceitar como realidade a existência da mente subconsciente e do que ela pode fazer por você. Isso lhe permitirá compreender as possibilidades do subconsciente como um meio para transmutar seus desejos no equivalente físico ou monetário. Você entenderá o significado das instruções dadas no Capítulo 3. Entenderá também a importância de deixar seus desejos claros e escrevê-los, bem como a necessidade da persistência no cumprimento das instruções.

Os princípios deste livro são os estímulos com os quais você adquire a capacidade de alcançar e influenciar sua mente subconsciente. Não desanime se não conseguir na primeira tentativa. Lembre-se de que a mente subconsciente só pode ser dirigida pelo hábito. Você ainda não teve tempo de dominar a fé. Seja paciente. Seja persistente.

COMENTÁRIO

Há dois aspectos da teoria de Hill sobre a mente subconsciente. Um é o conceito do subconsciente como depósito de todas as informações e pensamentos. O segundo é o conceito do subconsciente como porta de entrada da Inteligência Infinita. Neste capítulo, Hill se concentra principalmente no subconsciente como depósito.

A prova de que o subconsciente é um depósito de informação é o uso de hipnoterapia por psiquiatras. Pela hipnose, os psiquiatras são capazes de ajudar os pacientes a abrir a porta para o subconsciente a fim de recuperar informações sobre situações traumáticas que foram filtradas ou reprimidas pela mente consciente. Mais uma prova está no uso da hipnose por agentes da lei para recuperar informações, tais como números de placas e outros detalhes filtrados pela mente consciente de uma testemunha. Embora os resultados variem de pessoa para pessoa, não há dúvida de que o subconsciente tem acesso a informações que a mente consciente não alcança.

O aspecto de depósito do subconsciente é o que explica algumas ideias que nos chegam por intermédio da imaginação criativa. Em alguns casos, pedaços de informações e ideias que a mente consciente esqueceu se conectam em um nível subconsciente para criar uma nova ideia, e essa ideia é recebida por nossa inteligência criativa, que a apresenta como um *flash* de inspiração.

Você não pode controlar completamente o processo, mas pode se condicionar para criar mais e melhores ideias. É fato que uma experiência traumática cujo resultado cria uma ideia enraizada pode influenciar a forma como uma pessoa pensa e age. Se isso é verdade, então, usando intencionalmente todos os seus esforços para plantar com firmeza uma ideia no seu subconsciente, você poderá criar o que equivale a uma "boa" experiência traumática, que influenciará de um jeito positivo a maneira como você pensa e age. É exatamente assim que se desenvolve o que Hill chama de consciência do dinheiro.

Se você fizer tudo o que estiver ao seu alcance para plantar com firmeza, força, fé e convicção completas a ideia de que será bem-sucedido e realizará seu desejo, o subconsciente aceitará e armazenará essa ideia. Se você plantar a ideia tão fortemente que a torne a ideia dominante em seu subconsciente, ela influenciará todas as outras ideias e informações lá armazenadas. Quando você der ao subconsciente uma direção específica que não existia antes, ele começará a juntar pedaços de informações e, mediante sua inteligência criativa, você descobrirá que está inventando mais e melhores planos e ideias para atingir seu objetivo.

Mas, como diz Hill, você só consegue tudo isso com fé e hábito. Você deve escrever a afirmação de seu objetivo e repetir em voz alta todos os dias, com fé e convicção absolutas de que pode alcançá-lo. Você deve visualizar de forma nítida e criativa seu objetivo, e deve fazê-lo todos os dias. Você deve manter a atitude que diz que você pode atingir seu objetivo e que merece a ajuda daqueles que podem ajudá-lo a alcançar esse objetivo, e deve se comportar dessa forma todos os dias.

Se você se comprometer seriamente a fazer essas coisas, isso mudará a forma como você pensa e age, seu subconsciente vai fazer tudo que puder para transmutar seu desejo na realidade, e outras pessoas vão querer fazer o que puderem para ajudá-lo a ter sucesso.

A mente subconsciente funciona quer você faça algum esforço para influenciá-la, quer não. Isso significa que os pensamentos de medo, pobreza e todas as ideias negativas afetarão sua mente subconsciente a menos que você domine esses impulsos e dê a ela alimento mais desejável com que possa se nutrir. Se você não planta desejos em sua mente subconsciente, ela se alimenta dos pensamentos que chegam a ela como resultado de sua negligência.

Os pensamentos negativos e positivos chegam à mente subconsciente de forma contínua. Esses pensamentos provêm de quatro fontes: (1) conscientemente de outras pessoas, (2) do seu subconsciente, (3) subconscientemente de outras pessoas e (4) da Inteligência Infinita.

Todos os dias, todo tipo de impulso de pensamento atinge a mente subconsciente sem o seu conhecimento. Você deveria estar tentando desligar o fluxo de impulsos negativos e trabalhando ativamente para influenciar a mente subconsciente com impulsos positivos de desejo.

Quando você fizer isso, terá a chave que abre a porta para a mente subconsciente. Além disso, vai controlar essa porta tão completamente que nenhum pensamento indesejável poderá influenciar sua mente subconsciente.

Tudo o que você cria começa na forma de um impulso de pensamento. Com a ajuda da imaginação, os pensamentos podem ser reunidos em planos. Quando sob seu controle, a imaginação pode ser usada para criar planos ou propósitos que levem ao sucesso.

Como a mente subconsciente reage às emoções, é essencial se familiarizar com as mais importantes. As sete principais emoções positivas são

- Desejo
- Fé
- Amor
- Sexo
- Entusiasmo
- Romance
- Esperança

As sete principais emoções negativas são:

- Medo
- Ciúme
- Ódio
- Vingança
- Ganância
- Superstição
- Raiva

Emoções positivas e negativas não podem ocupar a mente ao mesmo tempo. É sua responsabilidade garantir que as emoções positivas constituam a influência dominante em sua mente. É aí que a lei do hábito vai ajudá-lo. Crie o hábito de aplicar e usar as emoções positivas. Com o tempo, elas dominarão sua mente tão completamente que as negativas não poderão entrar.

Você só vai conseguir controlar a mente subconsciente seguindo essas instruções literalmente e de maneira contínua. A presença de um único negativo em sua mente consciente é suficiente para destruir todas as chances de ajuda construtiva de sua mente subconsciente.

COMENTÁRIO

A preocupação de Napoleon Hill com a suscetibilidade da mente subconsciente a pensamentos, emoções e comentários negativos é bem conhecida dos profissionais que trabalham com essas técnicas. Na hipnoterapia clínica há um axioma chamado de lei do efeito invertido, que afirma que, sempre que há um conflito entre imaginação e força de vontade, a imaginação ganha. Quando você tenta plantar uma ideia, se o subconsciente já abriga um negativo, tentar impor a nova ideia provoca o efeito contrário, porque o subconsciente fica obcecado pela defesa da ideia negativa estabelecida. Quanto mais você "tenta" fazer alguma coisa, mais o subconsciente resiste e mais difícil fica.

Até o uso da palavra "tentar" é desaconselhado, porque sugere ao subconsciente uma falha preconcebida. O conceito de "tentar" implica esforço contínuo. Você não quer tentar. Você quer ter sucesso. Se você pedir ao subconsciente que o ajude a "tentar", ele pode fazer exatamente isso. Pode ajudar a tentar, mas isso impedirá que você tenha sucesso porque, se conseguisse, ele não poderia mais ajudá-lo a "tentar", e foi isso que você pediu para ele fazer.

O aviso sobre o uso da palavra "tentar" é só um exemplo do cuidado que se deve ter ao formular afirmações e usar a autossugestão. Aqui estão algumas outras regras úteis com as quais os especialistas modernos concordam:

- Afirmações devem ser sempre positivas. Afirme o que você quer, não o que você não quer.
- Afirmações funcionam melhor quando são curtas e muito claras sobre um único objetivo desejado. Dedique tempo para escrever e lapidar sua afirmação até que possa expressar seu desejo em uma declaração breve de palavras precisas e bem escolhidas.
- Afirmações devem ser específicas sobre o objetivo desejado, mas não sobre como realizá-lo. Seu subconsciente sabe melhor do que você o que e como pode fazer.
- Não faça demandas de tempo que não sejam razoáveis. Seu subconsciente não pode fazer nada acontecer de repente ou "agora".
- Apenas dizer as palavras terá pouco efeito. Quando você afirma seu desejo, tem que ter tanta fé e convicção que seu subconsciente se convença do quanto isso é importante para você. Ao afirmar seu desejo, visualize-o tão grande quanto um *outdoor* em sua mente. Faça-o grande, poderoso e memorável.

- A repetição de sua afirmação emocionalizada é crucial. Neste momento, seu hábito de pensar é de um jeito. Ao repetir sua afirmação muitas vezes todos os dias, a nova maneira de pensar vai começar a ser sua resposta automática. Continue a reforçá-la até que se torne uma segunda natureza, e seu hábito terá se tornado pensar da nova maneira – a maneira como você quer pensar.

Formamos hábitos com base na repetição. Os hábitos podem ser bons ou ruins. Você pode substituir pensamentos negativos por positivos, pode substituir a inatividade pela ação e pode formar qualquer hábito que escolher. Seus pensamentos são a única coisa que você pode controlar completamente, caso se decida a fazê-lo. Você pode controlar seus pensamentos para controlar seus hábitos.

O método pelo qual você pode se comunicar com Inteligência Infinita é muito semelhante ao modo como a vibração do som é transmitida por ondas de rádio. O som não pode ser transmitido pela atmosfera até ser transformado em uma vibração muito alta. A estação de rádio intensifica a vibração do som milhões de vezes; a energia (originalmente na forma de vibrações de som) é então transmitida como um sinal de rádio. Quando um aparelho de rádio recebe a transmissão em alta velocidade, reconverte a energia à velocidade de vibração mais lenta; quando a energia volta à taxa original, faz vibrar o diafragma do alto-falante, que reproduz o som original.

A mente subconsciente é o intermediário que traduz orações ou desejos em termos que a Inteligência Infinita possa receber. A resposta vem para você na forma de um plano definido ou ideia para obter o objeto de sua oração. Quando você entende esse princípio, sabe por que meras palavras lidas de um livro de oração não podem servir como agente de comunicação entre a mente do homem e a Inteligência Infinita.

CAPÍTULO 14

O CÉREBRO

Propus pela primeira vez a ideia de que o cérebro humano é uma estação de transmissão e recepção da vibração do pensamento em virtude de meus trabalhos com Alexander Graham Bell e Elmer R. Gates. A imaginação criativa é o aparelho receptor do cérebro. A mente subconsciente é a estação transmissora.

COMENTÁRIO

Eis aqui uma recapitulação passo a passo da visão de Napoleon Hill sobre o processo:

- O cérebro é um transmissor e um receptor.
- A emoção afeta tanto a capacidade de enviar quanto a de receber:

- Sob o efeito de forte emoção, você pode enviar pensamentos de forma mais poderosa;
- Sob o efeito de forte emoção, você está mais receptivo para receber pensamentos.

- Quando você envia pensamentos, para onde os envia? Para o subconsciente pela autossugestão.
- Quando você recebe pensamentos, de onde eles vêm? Do subconsciente, e você os recebe pela imaginação criativa.
- Sua mente subconsciente tem dois aspectos:
    - Depósito de informações;
    - Conexão com a Inteligência Infinita.
- A Inteligência Infinita é o meio pelo qual você recebe pensamentos de outros cérebros. Inteligência Infinita é o termo de Hill para descrever a lei básica da física; tudo no universo é tempo, espaço, energia ou matéria; como a matéria é energia em forma diferente, então tudo são partes diferentes da mesma coisa. Assim, sua mente subconsciente (energia) tem uma base comum com todas as outras mentes subconscientes (energia).

- Quando você está sob o efeito de uma forte emoção e seu "receptor" está especialmente receptivo, às vezes o "puxão" é tão forte que atrai um pensamento da mente subconsciente de outro cérebro. Isso é possível porque a Inteligência Infinita conecta seu subconsciente com o subconsciente do outro cérebro.
- Os pensamentos de outros cérebros são o que chamamos de intuição, palpite, *déjà-vu* e presciência.

Embora a explicação de Napoleon Hill pressuponha a ação de uma força que não pode ser isolada e dissecada em laboratório, a ciência e a psicologia não oferecem explicação melhor para os pensamentos que dependem de conhecimento ou de informações de que não dispomos.

No passado, dependemos muito de nossos sentidos físicos e limitamos nosso conhecimento às coisas físicas que podíamos ver, tocar, pesar e medir. Acredito que entramos na mais maravilhosa das eras, que nos ensinará mais sobre as forças intangíveis do mundo à nossa volta. Talvez venhamos a aprender que existe um "outro eu" mais poderoso do que o eu físico que vemos quando olhamos no espelho.

Muita gente não leva a sério as coisas intangíveis que não se podem perceber pelos cinco sentidos. No entanto, depreciar a ideia de forças intangíveis ou que não podem ser explicadas é ignorar o fato de que todos nós, todos os dias, somos controlados por forças invisíveis e intangíveis.

A humanidade não tem o poder de controlar nem de lidar com a força intangível das ondas dos oceanos. Ainda não compreendemos completamente a força intangível da gravidade, que mantém esta pequena Terra suspensa no espaço e nos impede de cair dela, muito menos temos o poder de controlar essa força. Somos inteiramente subordinados à força intangível que acompanha uma tempestade e estamos igualmente desamparados na presença da força intangível da eletricidade. Não entendemos a força intangível (e a inteligência) do solo, a força que nos fornece todo alimento que comemos, todas as roupas que usamos e cada dólar que carregamos no bolso.

Por último, mas não menos importante, com toda a nossa cultura e educação, ainda compreendemos pouco ou nada do maior de todos os intangíveis: o pensamento. No entanto, começamos a aprender muito sobre o intrincado funcionamento do cérebro físico, e os resultados são impressionantes.

É inconcebível para mim que esse maquinário complexo exista com o único objetivo de exercer funções relacionadas ao crescimento e manutenção do corpo físico. Não é provável que o mesmo sistema que dê a bilhões de células cerebrais o meio para se comunicarem umas com as outras também forneça meios de comunicação com outras forças intangíveis?

COMENTÁRIO

Desde os tempos de Hill, aprendemos muito mais sobre o cérebro e seu funcionamento. Entendemos muito da química do cérebro, podemos medir as energias que libera, sabemos quais áreas controlam as várias funções do corpo e quais áreas afetam a memória, as emoções, o raciocínio e muitas outras sutilezas relacionadas ao processo de pensamento. Com tecnologias de escaneamento, podemos observar as mudanças que ocorrem no cérebro enquanto ele funciona. Com cirurgia, medicação e outras técnicas, sabemos como evitar que o cérebro tenha certos tipos de pensamento e sabemos como encorajá-lo a produzir pensamentos quando queremos. Por exemplo, uma área específica pode ser estimulada, e você terá pensamentos prazerosos – mas ainda não podemos controlar quais serão esses pensamentos prazerosos e não temos ideia de quais sejam os pedaços de informação que entram em seus pensamentos prazerosos.

Com todo o nosso conhecimento sobre o cérebro físico, ainda não sabemos como fazê-lo ter um pensamento ou ideia específica. Especialmente um pensamento original ou uma ideia criativa. Em suma, as propriedades físicas do cérebro confirmam que é ali que o processo de pensamento ocorre, mas não oferecem resposta para a questão de como isso acontece ou como os pensamentos de um cérebro podem viajar para outro.

Embora esta não pretenda ser uma aula de ciência, você pode se tranquilizar por saber que o trabalho de cientistas de renome apoia a teoria de Hill sobre a interconexão de todas as coisas.

Albert Einstein desenvolveu o efeito EPR (Einstein, Podolski e Rosen), e o físico irlandês John Stewart Bell propôs o Teorema de Bell, ambos referentes ao conceito de que, quando duas partículas subatômicas ligadas são separadas uma da outra, se ocorre uma mudança na partícula A, a mesma mudança ocorrerá instantaneamente na partícula B, mesmo que estejam distantes uma da outra.

Outros conceitos relacionados são o cérebro holográfico e o universo holográfico. Se você corta um holograma, cada pedaço conserva a imagem completa. Na década de 1970, Karl Pribram, neurofisiologista da Universidade de Stanford, anunciou os resultados de estudos que sugerem que a memória não está em uma parte específica do cérebro, mas espalhada por ele como a imagem em uma placa holográfica. O físico David Bohm propôs que o funcionamento do universo é como uma imagem holográfica, que existe uma interconectividade total entre todas as coisas e que todas as coisas influenciam todas as outras coisas. Com efeito, cada parte do universo contém todo o universo.

Como já mencionado, Carl Jung chamou a conexão intangível de inconsciente coletivo (ou subconsciente universal). Outros a chamam de teoria totalmente unificada, grande primeira causa, mente universal ou espírito; alguns a veem como outra maneira de descrever Deus. Napoleon Hill a chama de Inteligência Infinita e oferece uma explicação de senso comum que permite que você trabalhe com o fenômeno, mesmo que não o entenda completamente. E isto, afinal, era o que Hill buscava: dar a você uma maneira de acessar forças intangíveis que o ajudarão a transformar seu desejo em realidade.

CAPÍTULO 15

O SEXTO SENTIDO

Este princípio é o ápice da filosofia do sucesso. Não sou crente nem defensor de milagres pelo simples motivo de que tenho conhecimento suficiente da natureza para entender que ela nunca se desvia das leis estabelecidas. No entanto, acredito que algumas leis da natureza são tão incompreensíveis que produzem o que parecem milagres. O sexto sentido é a coisa mais próxima de um milagre que já experimentei.

Muito antes de ter escrito uma linha para publicação ou ter feito um discurso em público, adquiri o hábito de reformular meu caráter tentando imitar os nove homens cujas vidas tinham sido as mais impressionantes para mim. Esses nove homens eram Emerson, Paine, Edison, Darwin, Lincoln, Burbank, Napoleão, Ford e Carnegie. Toda noite, durante muitos anos, fiz uma reunião com esse grupo de "conselheiros invisíveis". Antes de ir dormir, fechava os olhos e via esses homens sentados comigo ao redor da mesa do conselho. Eu dominava o grupo, atuando como presidente. Nas reuniões imaginárias, solicitava aos membros de meu gabinete o conhecimento que desejava que cada um oferecesse. Até falava em voz alta com cada um deles da seguinte forma:

- Emerson, desejo adquirir de você a maravilhosa compreensão da natureza que distinguiu sua vida. Peço que impressione minha mente subconsciente com as qualidades que você tinha e com as quais conseguiu compreender e se adaptar às leis da natureza;
- Burbank, solicito que me transmita o conhecimento que usou para harmonizar de tal forma as leis da natureza que fez o cacto deixar cair seus espinhos e se tornar um alimento comestível. Forneça-me acesso

ao conhecimento que lhe permitiu criar duas hastes de grama onde antes só uma crescia;

- Napoleão, desejo adquirir de você a habilidade maravilhosa de inspirar os homens e incitá-los a um espírito de ação maior e mais determinada. Desejo também adquirir o espírito de fé duradoura que lhe permitiu transformar a derrota em vitória e superar obstáculos assombrosos;
- Paine, desejo adquirir de você a liberdade de pensamento, a coragem e a clareza para expressar convicções que tanto o distinguiram;
- Darwin, desejo adquirir sua maravilhosa paciência e capacidade de estudar causa e efeito, sem viés ou preconceito, tão exemplificado por você no campo da ciência natural;
- Lincoln, desejo construir em meu caráter o agudo senso de justiça, o espírito incansável de paciência, o senso de humor, o entendimento humano e a tolerância que foram suas características distintivas;

- Carnegie, desejo adquirir uma compreensão completa dos princípios do esforço organizado que você usou com tanta eficácia na construção de um grande empreendimento industrial;
- Ford, desejo adquirir o espírito de persistência, determinação, equilíbrio e autoconfiança que lhe permitiu dominar a pobreza e organizar, unificar e simplificar o esforço humano, para que eu possa ajudar outros a seguir seus passos;
- Edison, desejo adquirir o maravilhoso espírito de fé com o qual você descobriu tantos segredos da natureza, o espírito de trabalho incansável com o qual muitas vezes arrancou a vitória da derrota.

Meu método de abordar os membros do meu gabinete imaginário variava de acordo com os traços de caráter que eu estava mais interessado em adquirir. Estudei suas vidas com cuidado. Depois de alguns meses desse procedimento noturno, me espantei com o quanto meus conselheiros imaginários pareciam se tornar cada vez mais reais.

Cada um desses nove homens desenvolveu características individuais que me surpreendiam. Por exemplo, Lincoln desenvolveu o hábito de estar sempre atrasado, depois andava por lá como em um desfile solene. Sempre exibia um semblante sério. Raramente o vi sorrir. Isso não se aplicava aos outros. Burbank e Paine com frequência se entregavam a uma interação espirituosa, que às vezes parecia chocar os outros membros do gabinete.

As reuniões tornaram-se tão realistas que fiquei com medo de suas consequências e as suspendi por vários meses. As experiências eram tão estranhas que tive medo de continuar e perder de vista o fato de serem apenas uma experiência da minha imaginação.

Ao escrever este livro, é a primeira vez que tenho coragem de falar nisso. Eu sabia, por minha atitude em relação a esses assuntos, que seria incompreendido se descrevesse minha experiência incomum. Hoje tenho coragem de colocar tudo no papel porque me preocupo menos com o que "eles dizem" do que no passado.

Os membros do meu gabinete podiam ser puramente ficcionais, os encontros ocorriam apenas em minha imaginação, mas me levaram por caminhos gloriosos de aventura, reavivaram minha apreciação pela verdadeira grandiosidade, incentivaram minha criatividade e me inspiraram a ser honesto e ousado ao expressar meus pensamentos.

COMENTÁRIO

A experiência de Napoleon Hill com seus conselheiros imaginários não é tão incomum quanto possa parecer; acontece com romancistas o tempo todo. À medida que um autor avança na escrita de um livro, os personagens ficam tão definidos em sua mente que começam a sugerir situações e diálogos. Esses pensamentos surgem na cabeça do autor quando ele "está no personagem"; na "vida real", tais ideias nunca lhe ocorreriam.

Psiquiatras, terapeutas e especialistas motivacionais também usam esse fenômeno quando trabalham com *role playing*. O procedimento usual é pedir a duas pessoas que façam uma cena como se estivessem uma no lugar da outra. Se isso for feito em uma situação em que os participantes não se sintam envergonhados ou acanhados, se deixem levar e realmente tentem se tornar o outro, é possível ter não apenas a sensação geral do que o outro está passando, mas também *insights*, "sentir" de verdade o que ele sente e adquirir um entendimento real de suas reações ou motivações.

Em algum lugar da estrutura celular do cérebro existe algo que recebe as vibrações do pensamento comumente chamadas de intuição. Até agora a ciência não descobriu onde esse sexto sentido está localizado, mas isso não é importante. O fato é que os seres humanos recebem conhecimentos precisos de fontes diferentes dos sentidos físicos. Geralmente esse conhecimento é recebido quando a mente está sob a influência de estimulação extraordinária. Qualquer emergência que desperte as emoções e faça o coração bater mais rápido pode levar o sexto sentido a agir. Qualquer um que quase tenha se acidentado enquanto dirigia sabe que o sexto sentido muitas vezes vem em socorro e ajuda a evitar o acidente por uma fração de segundo.

Em muitas ocasiões em que enfrentei emergências, algumas delas tão graves que minha vida corria perigo, fui guiado milagrosamente por meus "conselheiros invisíveis".

O sexto sentido não é algo que se pode ligar e desligar à vontade. A capacidade de usar esse grande poder vem lentamente, pela aplicação dos outros princípios delineados neste livro.

CAPÍTULO 16

OS SEIS FANTASMAS DO MEDO

Antes que você possa colocar essa filosofia em uso com sucesso, sua mente deve ser preparada mediante o estudo, a análise e a compreensão de três inimigos que você terá de afastar: a indecisão, a preocupação e o medo. Esse trio perverso está intimamente relacionado; onde um é encontrado, os outros dois estão por perto.

A indecisão brota do medo. A indecisão se cristaliza em preocupação, as duas se misturam e se tornam medo. O processo de mistura muitas vezes é lento. Essa é uma razão pela qual esses três inimigos são tão perigosos. Eles germinam e crescem sem que sua presença seja notada.

OS SEIS MEDOS BÁSICOS

- MEDO DA POBREZA: produz insônia, miséria e infelicidade, apesar de vivermos em um mundo de superabundância, sem nada entre o indivíduo e seus desejos, exceto a falta de um objetivo definido.
- MEDO DA CRÍTICA: rouba a iniciativa, destrói o poder de imaginação, limita a individualidade e tira a autossuficiência. Os parentes mais próximos frequentemente são os mais ofensivos. Deveria ser considerado crime os pais construírem complexos de inferioridade na mente de uma criança com críticas desnecessárias. Quem entende a natureza humana tira o melhor das pessoas não com críticas, mas com sugestão construtiva.
- MEDO DA DOENÇA: intimamente associado ao medo da velhice, da morte e da pobreza. Mesmo quando não há a menor causa para esse medo, ele muitas vezes produz os sintomas da doença temida. A semente do medo da

doença está em toda mente humana. A preocupação, o medo, o desânimo ou o desapontamento podem fazer com que a semente germine e cresça.

- MEDO DA PERDA DO AMOR: o ciúme e outras formas semelhantes de neurose crescem a partir do medo da perda do amor de alguém. Doloroso, provavelmente causa mais estragos no corpo e na mente do que qualquer outro.
- MEDO DA VELHICE: a possibilidade de perder a autonomia física e econômica está na raiz desse medo, que se entrelaça aos medos da pobreza, da doença e da morte.
- MEDO DA MORTE: embora os líderes religiosos talvez não sejam capazes de fornecer o salvo-conduto para o céu ou mandar o indivíduo para o inferno, a possibilidade deste último parece terrível. A ideia se apodera da imaginação, paralisa a razão e instala o medo da morte. O universo é composto de quatro elementos: tempo, espaço, energia e matéria. Na física elementar,

aprendemos que matéria e energia não podem ser criadas ou destruídas, apenas transformadas. A vida é energia, portanto, não pode ser destruída. A morte é mera transição; caso não seja, nada vem depois, exceto um sono eterno e pacífico, e no sono não há nada a temer. Se você é capaz de aceitar a lógica disso, também pode destruir para sempre o medo da morte.

Preocupação é um estado mental baseado no medo; é lenta, mas persistente. Insidiosa e sutil, infiltra-se passo a passo até paralisar a faculdade do raciocínio e destruir a autoconfiança e a iniciativa. A preocupação é uma forma de medo contínuo causada pela indecisão.

A maioria dos indivíduos não tem força de vontade para chegar a decisões prontamente e sustentá-las depois de tomadas. Não nos preocupamos depois que tomamos a decisão de seguir uma linha de ação definida. Com a indecisão, os seis medos básicos tornam-se preocupações.

Alivie o medo da morte tomando a decisão de aceitá-la como um evento inevitável. Elimine o medo da velhice tomando a decisão de aceitá-la não como desvantagem, mas como uma bênção que traz sabedoria, autocontrole e compreensão. Domine o medo da perda do amor tomando a decisão de seguir em frente sem amor, caso necessário. Derrote o medo da crítica tomando a decisão de não se preocupar com o que os outros pensam, fazem ou dizem. Supere o medo da doença tomando a decisão de esquecer os sintomas. Elimine o medo da pobreza tomando a decisão de viver com qualquer riqueza que possa acumular sem se preocupar. Por fim, elimine o hábito da preocupação em todas as suas formas tomando a decisão de que nada do que a vida tenha a oferecer vale o preço da preocupação.

Além dos seis medos básicos, há um outro terreno fértil em sua mente para as sementes do fracasso vicejarem. Vamos chamá-lo de suscetibilidade a influências negativas.

A suscetibilidade se manifesta sem que você perceba, quando está dormindo e quando está acordado. As influências negativas chegam de muitas formas. Às vezes, nas palavras bem-intencionadas de amigos e parentes. Em outras ocasiões, vêm de dentro, da própria atitude mental.

Para se proteger de influências negativas, seja as que você cria, seja as emitidas por outros, reconheça que sua força de vontade é sua defesa. Reconheça que influências negativas muitas vezes atuam por meio do subconsciente.

Mantenha a mente fechada para todas as pessoas que o deprimem ou desencorajam de alguma maneira. Esvazie seu armário de remédios e pare de dar tanta atenção a resfriados, dores, incômodos e doenças imaginárias. Procure a companhia de pessoas que o influenciem a pensar e agir por si. Não espere problemas, pois eles tendem a não decepcionar.

A lista de perguntas a seguir foi projetada para ajudá-lo a se ver como você realmente é. Você deve ler a lista agora, depois reservar um tempo adequado para responder cada pergunta minuciosamente. Quando fizer isso, aconselho que leia as perguntas e responda em voz alta. Assim fica mais fácil ser sincero consigo.

PERGUNTAS DE AUTOANÁLISE

- Você se queixa muitas vezes de se sentir mal? Em caso afirmativo, qual é a causa?
- Você procura defeitos nos outros à menor provocação?
- Você comete erros frequentes no trabalho? Em caso afirmativo, por quê?
- Você é sarcástico e ofensivo em suas conversas?
- Você evita deliberadamente a companhia de alguém? Em caso afirmativo, por quê?
- Você sofre frequentemente de indigestão? Em caso afirmativo, qual é a causa?
- A vida lhe parece inútil, e o futuro, sem esperança?
- Você gosta da sua ocupação? Se não, por quê?
- Você costuma sentir autopiedade? Em caso afirmativo, por quê?
- Você tem inveja daqueles que o superam?
- Você dedica mais tempo a pensar no sucesso ou a pensar no fracasso?
- Você aprende algo de valor com todos os erros?

- Você está ganhando ou perdendo autoconfiança à medida que envelhece?
- Você permite que algum parente ou conhecido o deixe preocupado? Em caso afirmativo, por quê?
- Você às vezes fica animado com a vida e outras vezes afunda no desânimo?
- Quem tem a influência mais inspiradora sobre você? Por quê?
- Você tolera influências negativas ou desencorajadoras que poderia evitar?
- Você descuida da aparência pessoal? Em caso afirmativo, quando e por quê?
- Você aprendeu a ignorar seus problemas se ocupando o suficiente para não ser incomodado por eles?
- Quantos distúrbios evitáveis o irritam e por que você os tolera?
- Você recorre ao álcool, drogas, cigarros ou outras compulsões para acalmar os nervos? Em caso afirmativo, por que não tenta usar a força de vontade?

- Você permite que outras pessoas pensem por você?
- Alguém o importuna? Em caso afirmativo, por quê?
- Você tem um objetivo principal definido? Em caso afirmativo, qual o plano para alcançá-lo?
- Você sofre de algum dos seis medos básicos? Em caso afirmativo, qual(is)?
- Você desenvolveu um método para se proteger contra a influência negativa dos outros?
- Você usa a autossugestão para ter uma mente positiva?
- O que você valoriza mais: seus bens materiais ou o privilégio de controlar os próprios pensamentos?
- Você é facilmente influenciado por outros contra seu próprio julgamento?
- O dia de hoje adicionou algo de valor ao seu estoque de conhecimento ou estado mental?
- Você enfrenta diretamente as circunstâncias que o deixam infeliz ou foge da responsabilidade?
- Você analisa todos os erros e fracassos e tenta lucrar com eles ou acha que isso não é seu dever?

- Você pode nomear três das suas fraquezas mais prejudiciais? O que está fazendo para corrigi-las?
- Você encoraja outras pessoas a trazerem suas preocupações a você por simpatia?
- Em suas experiências diárias, você escolhe lições ou influências que ajudam em seu progresso pessoal?
- Via de regra sua presença tem uma influência negativa sobre outras pessoas?
- Que hábitos de outras pessoas mais o irritam?
- Você forma as próprias opiniões ou se deixa influenciar por outras pessoas?
- Você aprendeu a criar um estado mental com o qual se protege de todas as influências desencorajadoras?
- Sua ocupação lhe inspira fé e esperança?
- Você está consciente de ter forças espirituais com poder suficiente para permitir que mantenha a mente livre de todas as formas de medo?
- Você sente que é seu dever compartilhar das preocupações de outras pessoas? Em caso afirmativo, por quê?

- Sua religião ajuda a manter a mente positiva?
- Se você acredita que semelhante atrai semelhante, o que aprendeu ao estudar os amigos que atrai?
- Que conexão, se houver, você vê entre as pessoas com quem se associa mais intimamente e qualquer infelicidade que possa experimentar?
- Seria possível uma pessoa que você considera um amigo ser, na realidade, seu pior inimigo por causa da influência negativa em sua mente?
- Por quais regras você julga quem é útil e quem é prejudicial a você?
- Os seus associados mais próximos são mentalmente superiores ou inferiores a você?
- Quanto de cada hora do dia você dedica a
    - sua ocupação?
    - dormir?
    - se divertir e relaxar?
    - adquirir conhecimentos úteis?
    - tempo desperdiçado?

- Quem entre os seus conhecidos
  - mais o incentiva?
  - mais o adverte?
  - mais o desencoraja?
- Qual é a sua maior preocupação? Por que você a tolera?
- Quando alguém lhe dá conselhos não solicitados, você aceita sem questionar ou analisa o motivo da pessoa?
- O que você deseja acima de tudo? Pretende conseguir? Está disposto a subordinar todos os outros desejos a este? Quanto tempo dedica diariamente a realizá-lo?
- Você muda de ideia com frequência? Em caso afirmativo, por quê?
- Você costuma terminar tudo o que começa?
- Você se impressiona facilmente com títulos profissionais, graduações ou riqueza de outras pessoas?
- Você é facilmente influenciado pelo que outras pessoas pensam ou dizem sobre você?
- Você atende pessoas por causa de seu *status* social ou financeiro?

- Quem você acredita ser a maior pessoa viva? Em que aspecto essa pessoa é superior a você?
- Quanto tempo você dedicou a estudar e a responder a essas perguntas? (É necessário pelo menos um dia para análise e resposta da lista toda.)

Se você respondeu a todas essas perguntas com sinceridade, sabe mais sobre si do que a maioria das pessoas. Volte a elas uma vez por semana durante vários meses e adquira autoconhecimento adicional de grande valor.

Se não tem certeza das respostas para algumas das perguntas, peça ajuda àqueles que o conhecem bem, especialmente àqueles que não têm motivos para lisonjeá-lo e que sejam sinceros. A experiência será surpreendente.

ÁLIBIS COM O FAMOSO "SE"

As pessoas que não alcançam o sucesso têm uma característica em comum. Conhecem todos os motivos do fracasso e têm álibis para explicar falta de sucesso. Alguns desses álibis são inteligentes, alguns são justificáveis pelos fatos. Examine-se cuidadosamente e determine quantos dos álibis a seguir você usa. Lembre-se, a filosofia apresentada neste livro torna cada um desses álibis obsoleto.

- Se eu não tivesse cônjuge e família...
- Se eu tivesse "impulso" suficiente...
- Se eu tivesse dinheiro...
- Se eu tivesse uma boa educação...
- Se eu pudesse conseguir um emprego...
- Se eu tivesse boa saúde...
- Se ao menos eu tivesse tempo...
- Se os tempos fossem melhores...
- Se as outras pessoas me entendessem...
- Se as condições ao meu redor fossem diferentes...
- Se eu pudesse viver minha vida novamente...
- Se eu não temesse o que "eles" vão falar...
- Se tivesse tido uma chance...
- Se eu tivesse uma chance agora...
- Se outras pessoas não me perseguissem...
- Se não acontecesse nada para me impedir...

- Se eu fosse mais jovem...
- Se eu pudesse fazer o que quero...
- Se eu tivesse nascido rico...
- Se eu pudesse conhecer as pessoas certas...
- Se eu tivesse o talento que algumas pessoas têm...
- Se eu ousasse me impor...
- Se eu tivesse abraçado as oportunidades passadas...
- Se as pessoas não me deixassem nervoso...
- Se eu não tivesse que cuidar da casa e dos filhos...
- Se eu pudesse poupar algum dinheiro...
- Se o chefe me reconhecesse...
- Se eu tivesse alguém para me ajudar...
- Se minha família me entendesse...
- Se eu vivesse em uma cidade grande...
- Se eu pudesse ao menos começar...
- Se eu fosse livre...
- Se eu tivesse a personalidade de algumas pessoas...
- Se eu não fosse tão gordo...
- Se meus reais talentos fossem reconhecidos...

- Se eu tivesse uma oportunidade...
- Se eu pudesse sair da dívida...
- Se eu não tivesse fracassado...
- Se eu soubesse como...
- Se todos não estivessem contra mim...
- Se eu não tivesse tantas preocupações...
- Se eu pudesse me casar com a pessoa certa...
- Se as pessoas não fossem tão idiotas...
- Se minha família não fosse tão extravagante...
- Se eu tivesse confiança em mim mesmo...
- Se a sorte não estivesse contra mim...
- Se eu não tivesse nascido com a estrela errada...
- Se não fosse verdade que "o que tem que ser será"...
- Se eu não tivesse que trabalhar tão duro...
- Se eu não tivesse perdido meu dinheiro...
- Se eu morasse em um bairro diferente...
- Se eu não tivesse um passado...
- Se eu tivesse um negócio próprio...
- Se outras pessoas ao menos me ouvissem...

O "se" realmente importante é o seguinte:

- SE eu tivesse a coragem de me ver como realmente sou, descobriria o que há de errado em mim e corrigiria. E sei que algo está errado na maneira como faço as coisas, ou já teria o sucesso que desejo. Reconheço que algo deve estar errado em mim porque do contrário teria passado mais tempo analisando meus pontos fracos e menos tempo construindo álibis para encobri-los.

Construir álibis para explicar o fracasso é um passatempo nacional. Por que as pessoas se apegam a álibis de estimação? A resposta é óbvia: porque os criam. É da natureza humana defender as próprias ideias. Seu álibi é filho da sua imaginação.

O filósofo Elbert Hubbard disse: "Sempre foi um mistério para mim por que as pessoas passam tanto tempo deliberadamente se enganando, criando álibis para encobrir suas fraquezas. Esse mesmo tempo seria suficiente para superar a fraqueza, então não seriam necessários álibis".

Antes você podia ter uma desculpa lógica para não ter forçado a vida a entregar o que você pediu. Esse álibi agora é obsoleto porque você está de posse da chave mestra que abre a porta para as riquezas da vida.

A chave mestra é o privilégio de criar em sua mente um desejo ardente de uma forma definida de riqueza. Há uma recompensa de proporções estupendas se você puser a chave em uso. É a satisfação que virá quando você conquistar o eu e forçar a vida a pagar o que for pedido.

Você vai dar o primeiro passo?

CONHEÇA NOSSOS TÍTULOS EM PARCERIA COM A FUNDAÇÃO NAPOLEON HILL

MAIS ESPERTO QUE O DIABO
Napoleon Hill

Fascinante, provocativo e encorajador, *Mais esperto que o Diabo* mostra como criar a senda para o sucesso, a harmonia e a realização em meio a incertezas e medos.

ATITUDE MENTAL POSITIVA
Napoleon Hill

Sua mente é um talismã com as letras AMP de um lado e AMN do outro. AMP, a atitude mental positiva, atrairá sucesso e prosperidade. AMN, a atitude mental negativa, vai privá-lo de tudo que torna a vida digna de ser vivida. Seu sucesso, saúde, felicidade e riqueza dependem do lado do talismã que você usar.

QUEM PENSA ENRIQUECE – O LEGADO
Napoleon Hill

O clássico *best-seller* sobre o sucesso agora anotado e acrescido de exemplos modernos, comprovando que a filosofia da realização pessoal de Napoleon Hill permanece atual e ainda orienta aqueles que são bem-sucedidos. Um livro que vai mudar não só o que você pensa, mas também o modo como você pensa.

A ESCADA PARA O TRIUNFO
Napoleon Hill

Um excelente resumo dos dezessete pilares da Lei do Triunfo, elaborada pelo pioneiro da literatura de desenvolvimento pessoal. É um fertilizador de mentes, que fará com que a sua mente funcione como um ímã para ideias brilhantes.

A CIÊNCIA DO SUCESSO
Napoleon Hill

Uma série de artigos do homem que mais influenciou líderes e empreendedores no mundo. Ensinamentos sobre a natureza da prosperidade e como alcançá-la, no estilo envolvente do consagrado escritor motivacional.

MAIS QUE UM MILIONÁRIO
Don M. Green

Don M. Green, diretor executivo da Fundação Napoleon Hill, apresenta de forma simples e didática todos os ensinamentos da Lei do Sucesso que aplicou em sua vida.

O PODER DO MASTERMIND
Mitch Horowitz

Com este manual você vai aprender a construir o MasterMind, a mente mestra, um inconsciente coletivo de abundância. Precioso para iniciantes e, se você já tem algum grau de experiência com o MasterMind, uma excelente leitura de apoio e renovação, com técnicas que poderão ser testadas no seu grupo.

O MANUSCRITO ORIGINAL
Napoleon Hill

A obra-prima de Napoleon Hill, na qual ele apresenta em detalhes a Lei do Sucesso. Neste marco da literatura motivacional, Hill explica didaticamente como escolher o objetivo principal de vida e pensar e agir focado na realização de metas.

PENSE E ENRIQUEÇA PARA MULHERES
Sharon Lechter

A autora apresenta os ensinamentos de Napoleon Hill com relatos inspiradores de mulheres bem-sucedidas e suas iniciativas para superar obstáculos, agarrar oportunidades, definir e atingir metas, concretizar sonhos e preencher a vida com sucesso profissional e pessoal.

PENSO E ACONTECE
Greg S. Reid e Bob Proctor

Proctor e Reid exploram a importância vital da forma de pensar para uma vida de significado e sucesso. A partir de entrevistas com neurocientistas, cardiologistas, professores espirituais e líderes empresariais, explicam como pensar melhor para viver melhor.

QUEM CONVENCE ENRIQUECE
Napoleon Hill

Saiba como utilizar o poder da persuasão na busca da felicidade e da riqueza. Aprenda mais de 700 condicionadores mentais que vão estimular seus pensamentos criativos e colocá-lo na estrada da riqueza e da felicidade – nos negócios, no amor e em tudo que você faz.

COMO AUMENTAR O SEU PRÓPRIO SALÁRIO
Napoleon Hill

Registro de uma série de conversas entre Napoleon Hill e seu mentor, o magnata do aço Andrew Carnegie, um dos homens mais ricos da história. Em formato pergunta–resposta, apresenta em detalhes os princípios que Carnegie utilizou para construir seu império.

VOCÊ PODE REALIZAR SEUS PRÓPRIOS MILAGRES

Napoleon Hill

O autor revela o sistema de condicionamento mental que auxilia no domínio de circunstâncias indesejáveis, como dor física, tristeza, medo e desespero. Esse sistema também prepara o indivíduo para adquirir todas as coisas de que necessite ou deseje, tais como paz mental, autoentendimento, prosperidade financeira e harmonia em todas as relações.

THINK AND GROW RICH

Napoleon Hill

Um dos livros mais influentes da história, apresenta a fórmula para acumular fortuna e comprova que a receita do sucesso é atemporal. Uma produção brasileira para amantes da literatura norte-americana e para quem deseja aperfeiçoar seu inglês com conteúdo enriquecedor.